De geschiedenis van het Midden-Oosten in de

Jan van Oudheusden

De geschiedenis van het Midden-Oosten in een notendop

2003 Prometheus Amsterdam

Voor mijn ouders

Eerste druk juni 2003
Tweede druk oktober 2003

© 2003 Jan van Oudheusden
Omslagontwerp Erik Prinsen, Venlo
Omslagillustratie Assyrisch dorp in Oost-Syrië
www.pbo.nl
ISBN 90 446 0291 8

Inhoud

Woord vooraf 7

1   De oude culturen van het Midden-Oosten
    ± 10.000 v.Chr. - ± 600 n.Chr. 9
2   De islam en de Arabische cultuur in de Middeleeuwen
    ± 600 - 1300 31
3   Het Ottomaanse Rijk 1300-1914 48
4   Onder beheer van Britten en Fransen 1914-1948 69
5   Oorlogen, conflicten en spanningen 1949-2003 96

Chronologie 143
Verder lezen 145
Illustratieverantwoording 147
Register 148

Woord vooraf

'Zie! Daar komt een Europeaan uit een land dat vele dagreizen ver ligt, en hij gaat recht naar de plek toe en neemt een stok en trekt een lijn hierheen en een lijn daarheen. Hier, zegt hij, is het paleis, en daar, zegt hij, is de poort, en hij toont ons wat ons leven lang onder onze voeten heeft gelegen zonder dat wij ervan wisten. Wonderlijk!' Zo sprak sjeik Abd el-Rahman tot de Engelse archeoloog sir Austen Layard, toen deze in 1845 een oud Mesopotamisch paleis had blootgelegd. De Arabieren van de negentiende eeuw hadden er geen flauw benul van, dat de bodem van hun land de resten van eeuwenoude culturen herbergde. Deze anekdote illustreert drie elementen die in dit boek aan bod komen: de hoogstaande culturen van de Oudheid, de relatieve kennisachterstand van de Arabieren op het Westen, en de westerse doelgerichtheid in de periode van het moderne imperialisme.

Men kan haast geen krant openslaan of geen journaaluitzending bekijken, of men stuit op nieuws uit het Midden-Oosten. Aanslagen van radicale Palestijnen, Israëlische bezettingsmaatregelen, het Irak van Saddam Hoessein, fundamentalistische moslims, de Koerdische kwestie en nog veel meer. Het Midden-Oosten is al bijna anderhalve eeuw lang – zeker sinds de opening van het Suezkanaal in 1869 – van enorm strategisch belang. Bovendien bevindt zich hier in de bodem meer dan tweederde van de wereldvoorraad olie.

Het Midden-Oosten vormde echter ook de wieg en woonplaats van een hele reeks oude culturen, zoals van de Egyptische farao's, de Mesopotamiërs, de joden, de Feniciërs, de Perzen en de hellenistische rijken. Omstreeks het begin van onze jaartelling kwam het gebied voor eeuwen in handen van het Romeinse Rijk; vanaf de vijfde eeuw van het Byzantijnse Rijk. De opkomst van de islam markeerde een duidelijke breuk met het verleden, en vanaf dat punt lopen veel lijnen direct naar het heden. De middeleeuwse Arabische cultuur, het Ottomaanse Rijk, de stichting van nationale staten in het Midden-Oosten, en de oorlogen rond Israël en Irak vormen enkele van de vele onderwerpen van dit boek. Het kan een nuttig naslagwerk zijn voor wie zich snel en degelijk wil informeren over de historische achtergronden van een cruciale regio.

Bij het schrijven van dit boek heb ik behalve van de stapel handboeken en detailstudies uit de literatuuropgave ook veel nut gehad van de lesbrieven die ik eerder samenstelde en op mijn leerlingen uitprobeerde. De interesse en volharding die mijn leerlingen opbrachten, hebben mij op prettige wijze gestimuleerd. Ik ben Paul Aarts (Universiteit van Amsterdam) bijzonder erkentelijk voor het kritisch doorlezen van de tekst. Ik dank daarnaast natuurlijk mijn gezinsleden Maryl, Rogier en Lennart voor hun geduld, maar vooral voor de vele nuttige aanwijzingen die ik van hen kreeg; ieder gaf die vanuit eigen expertise. Ten slotte dank ik redacteur Job Lisman van uitgeverij Prometheus voor de goede samenwerking.

Deze tweede druk is identiek aan de eerste, op een tweetal aanvullingen na: een over het Israëlisch-Palestijnse conflict, en een over Irak onder Amerikaans-Britse bezetting.

Jan van Oudheusden
Waalwijk, september 2003

1 De oude culturen van het Midden-Oosten ± 10.000 v.Chr. - ± 600 n.Chr.

Waar het Midden-Oosten begint en waar het ophoudt, is niet precies te zeggen. Het begrip 'Midden-Oosten' op zich is – net als de oude term 'Nabije Oosten' – typisch eurocentrisch, ingeburgerd in de periode van westerse dominantie. Net als de in onbruik geraakte benaming 'Voor-Azië'. Het zou even politiek correct zijn als omslachtig, om in dit boekje de aanduiding 'Zuidwest-Azië en Noordoost-Afrika' te hanteren. Dus maar gewoon: Midden-Oosten.

Het gaat om de regio waarbinnen de huidige staten Turkije, Syrië, Libanon, Israël, Jordanië, Egypte, Irak, Jemen, Saoedi-Arabië liggen, alsmede de gebieden aan de oost- en zuidkust van het Arabisch schiereiland. Ook Iran, Afghanistan en de Maghreb (de Arabische gebieden in Noord-Afrika ten westen van Egypte) worden soms wel tot het Midden-Oosten in ruimere zin gerekend. In de moderne tijd ontleent het Midden-Oosten zijn betekenis aan de aanleg van het Suezkanaal en olievondsten. Het was vanuit Europa gezien de strategische toegangspoort tot Azië.

Van veel oudere datum is evenwel de culturele betekenis van het Midden-Oosten. De regio vormt een van de oudste beschavingsgebieden ter wereld. De rivierdalen van de Nijl, de Eufraat, de Tigris en de Jordaan bleken zulke gunstige fysieke omstandigheden te bieden, dat daar landbouw ontstond. Zo'n tien tot twaalf millennia geleden, in de periode die wij aanduiden als het Neolithicum of de nieuwe steentijd, ontdekten mensen in Mesopotamië, in het huidige Irak, hoe zij gewassen konden verbouwen en vee konden hoeden. Deze ontdekkingen waren van immens belang voor het bestaan van de mens. Niet langer was hij namelijk afhankelijk van de vaak grillige en onzekere opbrengst van de jacht en van het verzamelen van voedsel. De nadruk kwam te liggen op doelgerichte voedselproductie. Er werd tarwe en gerst verbouwd. Ook temden de vroege bewoners van het Midden-Oosten de dieren, zoals de hond, de geit, het schaap, het rund en het varken. Rond 10.000 v.Chr. werd waar-

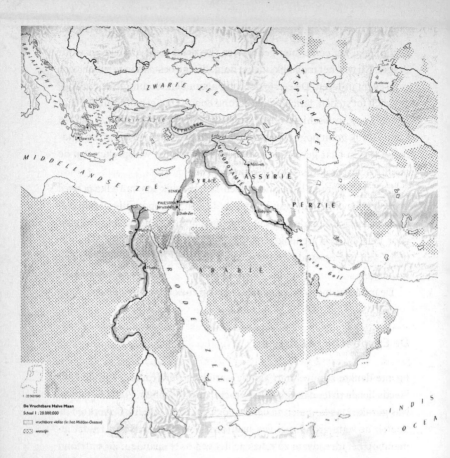

De Vruchtbare Halve Maan.

schijnlijk al het eerste bier gebrouwen. De druif werd ontdekt als wijn-drager. Nu was het mogelijk om het nomadische bestaan in te ruilen voor een sedentair leven. De eerste dorpen ontstonden. Sommige ontwikkel-den zich tot steden. Jericho moet al rond 8000 v.Chr. een ommuurde stad zijn geweest, misschien wel de oudste stad ter wereld. Ook het Turkse Çatal Hüyük gooit hoge ogen voor die eretitel. De uitvinding van de land-bouw was in haar gevolgen dermate ingrijpend, dat we spreken van de neolithische revolutie.

Enkele millennia later ontstonden betrekkelijk los van elkaar twee grote beschavingen: die van Egypte en die van Mesopotamië. Beide cul-turen vormen tot op de dag van vandaag dankbare onderzoeksobjecten voor hele stoeten archeologen, historici, documentairemakers en au-teurs, van wie de studieresultaten zich in brede belangstelling mogen verheugen.

De moderne mens is kennelijk steeds op zoek naar zijn wortels.

De Egyptische beschaving

Egypte dankte zijn welvaart aan de jaarlijkse overstroming van de Nijl. Steeds liet de rivier dan een laagje vruchtbare slib achter, zodra het water was gezakt. Dan kon men zaaien en oogsten. Aanvankelijk bewerkten de boeren de vette grond met een hak, een soort scherpe stok. Totdat ie-mand op het idee kwam zo'n hak achter een os te spannen. Zo ontstond de ploeg, een uitvinding van grote betekenis. Er groeide een landbouw-overschot, waardoor mensen zich ook konden gaan wijden aan bestuur, wetgeving, kunst, wetenschap: andere zaken dus dan de pure bekom-mernis om het dagelijkse brood. Om de jaarlijkse overstroming van de Nijl te kunnen voorspellen, ontwierpen de Egyptenaren al vroeg een zon-nekalender van 365 dagen per jaar. De schrikkeldag is pas ten tijde van Julius Caesar ingevoerd, en de Gregoriaanse aanpassing daarvan dateert van 1582, maar in feite berust onze kalender op de Egyptische.

De Egyptenaren legden irrigatiekanalen, dammen en waterreservoirs aan. Opzichters bij deze waterwerken kregen steeds meer macht. Zij ont-wikkelden zich geleidelijk tot regionale heersers, en die weer tot konin-gen, die farao's genoemd werden. Het ene rijkje fuseerde met het andere.

De twee laatst overgebleven koninkrijken: Opper-Egypte, het Nijldal, en Neder-Egypte, het gebied van de delta, werden omstreeks 3100 v.Chr. tot één land samengevoegd, onder één farao, de legendarische Menes. De stad Memphis werd de nieuwe hoofdstad. Vele eeuwen later verplaatste de regeringszetel zich naar het zuidelijker gelegen Thebe. Afgezien van enkele tussenperiodes bleef Egypte duizenden jaren lang een zelfstandige staatkundige eenheid. Historici onderscheiden drie bloeiperiodes: die van het Oude Rijk (tot ca. 2200 v.Chr.), het Middenrijk (tot ca. 1780 v.Chr.) en het Nieuwe Rijk (tot 525 v.Chr.). Aan de onafhankelijke positie van het land kwam pas een eind toen het in 525 v.Chr. werd veroverd door de Perzen.

Sinds de ontcijfering van het Egyptische hiërogliefenschrift door de Fransman Champollion aan de hand van de steen van Rosette (1822), is de kennis over de Egyptische beschaving met sprongen vooruitgegaan. Ineens gingen alle bronnen spreken: lijsten met namen van farao's uit de vele achtereenvolgende dynastieën, gegevens over belastingopbrengst, aanroepingen van de vele goden in dodenboeken en talloze andere inscripties op tempelwanden of op papyrusrollen. Geleerden, archeologen, tekenaars, kunstverzamelaars stortten zich op het land van de Nijl, en Egyptologie werd een erkende wetenschap. Nog steeds worden veel opgravingen verricht.

Zelfs het interieur van de grootste piramides herbergt nog geheimen. Onderzoekingen met de meest geavanceerde apparatuur moeten verborgen grafkamers blootleggen. De meeste piramides stammen uit het derde millennium voor Christus. Het zijn reusachtige koningsgraven, waarvan de grootste en beroemdste, die te Gizeh, werden gebouwd door farao's uit de vierde dynastie, omstreeks 2650 v.Chr. Aangezien de piramides in de Oudheid reeds een enorme aantrekkingskracht uitoefenden op grafrovers, gaven farao's uit latere dynastieën er de voorkeur aan hun gemummificeerde lichamen te laten bijzetten in rotsgraven in het Dal der Koningen nabij de nieuwe hoofdstad, Thebe.

De goddelijke farao stond ver boven de gewone Egyptenaar. Hij inde belastingen, sprak recht, bracht namens zijn volk offers aan de goden, zorgde voor de defensie en voor het onderhoud van de waterwerken. Hij werd bij dit alles geassisteerd door een schare priesters en hoge ambtenaren. Farao Ramses II, die bijna zestig jaar regeerde, liet beelden van wel 20 meter hoog voor zichzelf oprichten, zoals nog te zien is in het tempelcomplex van Aboe Simbel.

De Egyptenaren geloofden dat er een leven na de dood bestond. Ze vereerden vele goden, onder wie Amon-Ra en Osiris. Slechts farao Echnaton (rond 1360 v.Chr.) probeerde een monotheïstisch geloof te introduceren, dat echter niet lang standhield. De farao's lieten reusachtige tempels bouwen, zoals die in Luxor en Karnak, en deze versieren met godenbeelden en obelisken. Ze probeerden lichamen van voorname overledenen te mummificeren. De ziel van de overledene moest immers altijd bij het lichaam kunnen terugkeren. Edelen lieten zich begraven in rijk voorziene grafkamers, compleet met grafgeschenken en dodenboeken. Op de wandschilderingen en reliëfs zien we het dagelijks leven van de Egyptenaren weerspiegeld. Zij beploegen het land, slachten het vee, halen de graanoogst binnen of gaan op jacht of op visvangst.

In 1922 ontdekte de Britse archeoloog Howard Carter het nog vrijwel ongeschonden graf van de jonggestorven farao Toetanchamon (omstreeks 1350 v.Chr.). Het duurde jaren voordat alle kostbare voorwerpen waren tentoongesteld en beschreven. Een schitterend gouden masker bedekte het hoofd van de farao. De voorwerpen uit dit graf, waaronder meubilair, gouden sieraden en jachtattributen wierpen nieuw licht op de rijke Egyptische cultuur. Deze en andere schatvondsten gaven aanleiding tot een – nooit meer opgehouden – wereldwijde publieke fascinatie met de Egyptische beschaving die ook garant staat voor constante toeristenstromen naar de oevers van de Nijl. De hedendaagse Egyptische economie kan die financiële injecties goed gebruiken.

De Vruchtbare Halve Maan

Twee machtige rivieren, de Eufraat en de Tigris, die vanuit het huidige Turkije van noordwest naar zuidoost stromen, naar de Perzische Golf, gaven hun naam aan Mesopotamië ('land tussen de rivieren') in het huidige Syrië en Irak. Aan de bovenloop van beide rivieren lag Assyrië, aan de benedenloop Babylonië. Vanwege de vorm werd de streek al vroeg in de geschiedenis de Vruchtbare Halve Maan genoemd. Hier werd nog eerder landbouw bedreven dan in Egypte. De bewoners leerden al vroeg hoe ze – net als in Egypte – het rivierwater door middel van dijken en kanalen over het land konden leiden. Het land was daardoor buitengewoon vruchtbaar.

Omstreeks 3500 v.Chr. vestigde zich het volk van de Sumeriërs aan de benedenloop van de rivieren. Zij verbouwden graan en hielden grote veekuddes. Zij vonden de ploeg uit, het wiel (rond 3200 v.Chr.) en de kunst van het bronssmeden. Ze bouwden steden met grote tempeltorens, *ziggoerats*, die een schakel vormden tussen hemel en aarde. De belangrijkste Sumerische stad was Ur. Iedere stad vormde een staatje op zich. De Sumeriërs aanbaden talrijke goden. Hun priesters waren tevens geleerden. Ze deden aan wis-, natuur- en sterrenkunde. Ze verdeelden de week in zeven dagen, de dag in 24 uren van 60 minuten, en de cirkel in 360°. Hun schrift was het spijkerschrift, gekerfd in natte kleitabletten of op cilinders. Daarvan zijn vele tienduizenden exemplaren teruggevonden. Rond 1840 wist Henry Rawlinson het spijkerschrift grotendeels te ontcijferen. Een van de oudste opgetekende verhalen van de mensheid stamt uit Sumerië: het *Gilgamesj*-epos, waarin de held vergeefs het eeuwige leven zoekt.

Rond 2600 v.Chr. vielen er vanuit het noorden nieuwe volkeren Mesopotamië binnen, de Semieten, de voorouders van veel latere bewoners van het Midden-Oosten, zoals de Arabieren en de joden. Het Semitische volk van de Akkadiërs onderwierp Ur en de andere Sumerische steden. Zij namen de cultuur van de Sumeriërs over.

Omstreeks 1700 v.Chr. slaagde een andere Semitische stam erin Mesopotamië aan zich te onderwerpen. De nieuwe koning vestigde zich in de stad Babylon. Deze grote koning van het zo ontstane Oud-Babylonische Rijk was Hammoerabi. Hij staat bekend als de eerste wetgever in de geschiedenis. De 'Zuil van Hammoerabi', een grote, zwarte stenen paal die in 1901 werd gevonden, bevatte 282 wetsartikelen vol strenge regels, volgens het principe: oog om oog, tand om tand. Zij moesten een eind maken aan bloedwraak. Niet lang na Hammoerabi raakte Babylonië verdeeld in kleine rijkjes.

Rond 1100 v.Chr. werd Mesopotamië onderworpen door de Assyriërs. Zij beheersten als geen ander de kunst van het oorlogvoeren. Zij bewoonden de bovenloop van de Eufraat en Tigris, een streek die door vele naburige volkeren als woonplaats werd begeerd. Halverwege de achtste eeuw v.Chr. beperkten de Assyriërs zich niet langer tot het verdedigen van hun territorium, maar gingen ze in de aanval. Vanwege hun streven naar een wereldrijk kunnen zij wel de oudste imperialisten ter wereld genoemd worden. De Assyrische troepen veroverden de Babylonische laagvlakte tot aan de Perzische Golf. Ook onderwierpen zij Fenicië en bereikten zij de kust van de Middellandse Zee. In 721 v.Chr. bezetten zij Israël, het noordelijkste van de twee staatjes waarin het joodse volk was opgedeeld. Een groot deel van dat volk werd naar Assyrië weggevoerd. In 701 werd echter een aanval afgeslagen op Jeruzalem, de hoofdstad van het andere joodse staatje, Juda. De Assyriërs drongen ook door in de Nijlvallei, waar zij in 663 v.Chr. de stad Thebe verwoesttten. Ze werden berucht om de wreedheid waarmee zij de overwonnenen behandelden.

De hoofdstad van het Assyrische Rijk was Ninivé. Buiten die stad lag op een kunstmatig terras het enorme, goed verdedigbare paleis dat door koning Sargon II was gebouwd. In tijd van nood kon het plaats bieden aan alle 80.000 inwoners van Ninivé. De stad zelf was de zwaarst verdedigde stad in de Oudheid, met onder meer een stadsgracht van 42 meter breed en muren van 24 meter hoog en 10 meter dik. Het water werd aangevoerd via een enorm aquaduct met stenen bogen, misschien wel de oudste waterleiding ter wereld. De laatste grote vorst van de Assyriërs, Assurbanipal, bezat een bibliotheek met meer dan 20.000 kleitabletten die vele onderwerpen beschreven, onder meer op het gebied van godsdienst, wiskunde en geneeskunde.

In 612 v.Chr. werd Babylonië in ere hersteld. In dat jaar ontketenden de Babyloniërs een woeste opstand, waarbij Ninivé werd verwoest en de laatste Assyrische koning in de vlammen omkwam. De Nieuw-Babyloniërs heersten vervolgens op dezelfde hardvochtige manier als de Assyriërs hadden gedaan. Babylon werd een rijke stad met hoge muren en stadspoorten versierd met geglazuurde tegels, en enorme dakterrassen, die wel eens zijn aangeduid als de 'hangende tuinen' van Babylon: een van de zeven wereldwonderen. De tempel voor de zonnegod Mardoek telde zeven terrassen en zou tot een hoogte van 90 meter hebben gereikt. Volgens een bepaalde interpretatie was dit de toren van Babel uit het bijbelboek Genesis. Behalve de god Mardoek vereerden de Babyloniërs ook de vruchtbaarheidsgodin Ishtar. De machtigste koning van het Nieuw-Babylonische Rijk, Nebukadnezar 11, liet in 586 v.Chr. de tempel van Jeruzalem verwoesten en het volk van Juda in ballingschap naar Babylon wegvoeren. Die periode van verbanning duurde een halve eeuw. In 539 v.Chr. werd Nieuw-Babylonië bij het Perzische Rijk ingelijfd.

Het oude Israël en Juda

Opgravingen en vondsten van inscripties met betrekking tot het joodse volk hebben in de moderne tijd veel toegevoegd aan de overlevering zoals we die kennen uit de Hebreeuwse bijbel. Het joodse volk behoorde tot het Semitische ras. Omstreeks of kort na 2000 v.Chr. vestigde het zich in Palestina (toen ook wel Kanaän geheten) onder leiding van aartsvader Abraham, een herdersvorst afkomstig uit het Sumerische Ur. Het heilige boek van de joden, de Tenach, verhaalt hoe zijn nageslacht later toevlucht zocht in Egypte. Dit moet rond 1750 v.Chr. zijn geweest, en hongersnood was de vermoedelijke oorzaak van het vertrek.

In de dertiende eeuw v.Chr. was het joodse volk in Egypte tot slavernij gedwongen. De profeet Mozes wees de joden volgens het boek Exodus de weg terug naar Kanaän, 'het beloofde land', na een tocht door de woestijn die veertig jaar zou hebben geduurd. Het lukte de joden om het verzet van de Kanaänieten te breken en het land in bezit te nemen. De kuststrook bleef echter in handen van een klein volkje, de Filistijnen. Dit was omstreeks 1200 v.Chr. De twaalf stammen van het joodse volk verdeelden het veroverde land zorgvuldig. Hun leiders heetten de 'rechters'. Aangezien er dreiging van buitenaf bleef bestaan, met name van de Filistijnen, besloot men kort voor het jaar 1000 v.Chr. tot het instellen van het koningschap. De eerste koning was Saul, de tweede David en de derde Salomon. Laatstgenoemde koning, bekend om zijn weelderige hofleven, liet de tempel van Jeruzalem bouwen, waarin de Ark des Verbonds een plaats kreeg, een kist met de joodse wet en de plaats waar Jahweh huisde.

Jahweh was de enige god die de joden aanbaden. Zij stichtten aldus de eerste van de drie grote monotheïstische godsdiensten. De bijbel vertelt dat de profeet Mozes aan zijn volk duidelijke richtlijnen verstrekte in de vorm van de Tien Geboden; onder meer 'gij zult niet doden', 'gij zult niet stelen', en 'eert uw vader en moeder'. Het joodse geloof bevatte daarmee een ethische component, die vrijwel ontbrak in de polytheïstische godsdiensten van de buurvolkeren. Latere profeten zoals Jesaja, Elia en Jeremia waarschuwden het volk tegen slecht gedrag en voorspelden de straffen die Jahweh zijn volk zou opleggen.

In 930 v.Chr. weigerden de tien stammen in het noorden van Palestina het gezag te erkennen van de zoon van koning Salomon. Zij stichtten een eigen koninkrijk, Israël, met Samaria als hoofdstad. Jeruzalem bleef de hoofdstad van het zuidelijke gedeelte, Juda, geregeerd door de afstammelingen van koning David. Door deze verdeeldheid werd het joodse volk een gemakkelijke prooi voor de geduchte Assyriërs die, zoals hierboven vermeld, in 721 v.Chr. het grootste deel van Israël vanuit Samaria wegvoerden. Deze joden gingen geheel op in de andere semitische stammen. Meer dan een eeuw later waren het de Babyloniërs die het koninkrijk Juda veroverden. Salomons tempel in Jeruzalem ging in 586 v.Chr. in vlammen op, met de Ark des Verbonds. De muren van de stad werden afgebroken en het volk werd naar Babylons stromen gedreven. De mensen van Juda bleven tijdens de Babylonische gevangenschap hun godsdienst trouw. Van de Perzische koning Cyrus, die Babylon veroverde, mochten de joden in 539 v.Chr. naar hun land terugkeren. Zij bleven evenwel onderdanen van vreemde heersers: eerst de Perzen, toen de Grieken en ten slotte de Romeinen. De stad Jeruzalem werd herbouwd. In 515 v.Chr. verrees daar de tweede tempel.

De Feniciërs

Aan de kust van het tegenwoordige Libanon lagen de steden Sidon en Tyrus. De bewoners, de Feniciërs, waren een Semitisch volk, dat zich daar in het derde millennium v.Chr. gevestigd had. Rond 900 v.Chr. bereikte de bloei van de Fenicische beschaving een hoogtepunt. Veel daarvan was ontleend aan Mesopotamië en Egypte, maar enkele elementen waren oorspronkelijk en van grote betekenis voor de wijde regio.

Als eerste volk uit de geschiedenis ontwierpen de Feniciërs een letterschrift. Met behulp van 22 tekens konden zij alle belangrijke klanken opschrijven. De Grieken namen dit alfabet later over, de Romeinen wijzigden dat van de Grieken, en zo verspreidde het zich naar alle windstreken. Deze uitvinding hield verband met de voornaamste broodwinning van de Feniciërs: handel, scheepvaart en nijverheid. Zij handelden in glas, cederhout, lederwaren, parfums en purperkleurig textiel, maar ook in slaven. Van hen is het woord mammon (winst, vermogen) afkomstig. Even beroemd als hun verfstof purper (afkomstig van de purperslak waarop zij visten) waren hun glasfabrieken, waar kunstproducten in alle kleuren werden vervaardigd.

De Feniciërs waren bekwame zeelieden. Zij bevoeren de Middellandse Zee, tussen Egypte, Mesopotamië, Kreta en Mycene. Zij waagden zich zelfs westelijk van de Straat van Gibraltar. Bij gebrek aan instrumenten en kaarten bleven zij meestal in het zicht van de kust varen. Aan verre kusten vestigden zij koloniën, zoals Carthago in Noord-Afrika en Cadiz in Spanje. Dankzij deze activiteiten werden producten uit het Midden-Oosten zodanig verspreid dat anderen, met name de Grieken, er druk gebruik van gingen maken.

Het Perzische Rijk

Op de hoogvlakten van Iran woonden verschillende volkeren, onder andere de Meden en de Perzen. Zij waren geen Semieten, maar maakten deel uit van het grote Indo-Europese ras. Archeologische opgravingen, zoals vanaf 1930 plaatsvonden in de oude paleizenstad Persepolis, en de ontcijfering van het oud-Perzische schrift door Georg Grotefend in 1802, hebben veel onthuld over de Perzische cultuur. Rond 850 v.Chr. kozen de Perzen een woonplaats in de rivierdalen en de dorre hoogvlakten tussen de Kaspische Zee en de Perzische Golf. Hun hoofdstad was Susa. De Perzen waren de eerste eeuwen nog onderhorig aan de Meden, die het gebied bewoonden ten zuiden van de Kaspische Zee, met als hoofdstad Ecbatana. Maar omstreeks 550 v.Chr. voerde het Perzische stamhoofd Cyrus zijn volk aan in een opstand tegen de Meden. Hij had de krijgskunst afgekeken van de Assyriërs. Cyrus lijfde het gebied van de Meden in, evenals (het tegenwoordige) Turkmenistan en Afghanistan. Vervolgens veroverde Cyrus Klein-Azië (het tegenwoordige Turkije), waar hij het koninkrijk Lydië innam, evenals de Griekse steden aan de westkust. In 539 rukte hij triomferend de stad Babylon binnen, die geen verzet bood. Cyrus' zoon Cambyses rondde het veroveringswerk van zijn vader af door in 525 v.Chr. Egypte te veroveren. Niet eerder had de wereld zo'n groot rijk gezien. Het strekte zich helemaal uit van de Nijl en de Egeïsche Zee in het westen tot de rivier de Indus in het oosten. Al snel namen de nieuwe heersers het belangrijkste uit de beschavingen van Egypte en Mesopotamië over.

Koning Darius I (522-486 v.Chr.), bijgenaamd de 'koning der koningen', wist het wereldrijk grondig te reorganiseren. Hij verdeelde het in provincies, elk onder een satraap (gouverneur), gecontroleerd door reizende ambtenaren. Het leger kon over goede wegen verplaatst worden. De langste weg was de 'koninklijke weg' van de hoofdstad Susa naar Sardes in Lydië, 2683 kilometer lang, met meer dan honderd posthuizen waar ijlbodes snel van paard konden wisselen. In zes dagen tijd konden die het hele traject afleggen. Darius liet gouden munten slaan om handel te bevorderen, een gebruik dat zijn oorsprong vond in het Klein-Aziatische koninkrijk Lydië. Van de pracht van de paleizen van de Perzische heersers getuigen nog de ruïnes van Persepolis.

De Perzen geloofden, in navolging van de profeet Zarathoestra, in het bestaan van twee goden, Ahoera Mazda van het goede en Ahriman van het kwade. Dit dualistische geloof zou nog eeuwen voortleven.

Alexander de Grote en het hellenisme

Het Perzische Rijk werd veroverd door Alexander de Grote. Deze was de zoon van koning Philippus van Macedonië. Toen Philippus in 338 v.Chr. werd vermoord, kort nadat hij heel Hellas (Griekenland) had onderworpen, was Alexander twintig jaar oud. Alexander wilde de droom van Philippus realiseren: het Perzische Rijk veroveren, om voorgoed een eind te maken aan die dreiging die de Grieken vanuit het oosten voelden. In 334 v.Chr. begon hij met dertigduizend voetsoldaten en vijfduizend ruiters aan wat wel de beroemdste veroveringstocht uit de geschiedenis kan heten. Hij stak de Hellespont (de Dardanellen) over naar Klein-Azië en versloeg in twee veldslagen de Perzische koning Darius III. Alexander ver-

overde Fenicië en trok Egypte binnen, waar hij de stad Alexandrië stichtte. Daarna trok hij door Palestina naar Mesopotamië. Darius werd door
zijn eigen troepen gedood. In 330 v.Chr. was Alexander koning van Perzië. Hij liet zich als god vereren. Hij trok verder, veroverde heel het
noordoosten van het rijk (het tegenwoordige Afghanistan), bereikte de
Indus en was van plan door te stoten naar de Ganges. Maar toen weigerden de uitgeputte Macedoniërs verder te trekken. Na een moordende te-
rugreis bereikte Alexander Babylon. Daar stierf hij plotseling, wellicht
aan malaria, slechts 33 jaar oud.

Zijn ideaal was om de Griekse beschaving uit te dragen en te vermen-
gen met die van de oosterse volkeren. Deze mengcultuur van Oost en
West kreeg de naam 'hellenistische' beschaving. Alexander huwde een
Perzische prinses, Roxane. Veel van zijn soldaten volgden zijn voorbeeld
en huwden ook met Perzische vrouwen. Niet alleen de Grieken in Alexanders leger, ook veel Perzen stonden achter Alexanders plannen.

Het grootste deel van Alexanders veroveringen (Mesopotamië, Syrië en
de hoogvlakten van Iran) viel na zijn dood toe aan het geslacht der Seleuciden, nazaten van generaal Seleucos uit Alexanders leger. Egypte kwam in
handen van de Ptolemaeërs, nazaten van een andere generaal, Ptolemaeus. Een klein deel van Klein-Azië, het gebied rond de stad Pergamon, wist
zijn zelfstandigheid te rekken onder de dynastie der Attaliden. Deze zogenaamde diadochenrijken ('diadochen' betekent 'opvolgers') hielden enkele eeuwen stand. Zowel de Seleuciden als de Ptolemaeërs regeerden als
absolute vorsten. Zij omgaven zich met een uitgebreid hofceremonieel.
De goddelijkheid van de vorst werd algemeen aanvaard. De diadochenrijken waren bijna voortdurend in onderlinge strijd gewikkeld. Van de
veertien Seleucidische koningen stierven er tien op het slagveld.

Het ideaal van de vereniging van Oost en West vereiste dat nieuwe steden werden gebouwd. Zo konden de Griekse taal en cultuur worden verspreid, net als de kalender en het muntstelsel. Vooral het Seleucidenrijk
werd grondig gehelleniseerd. Alexander zou (volgens zijn biograaf Plutarchus) zo'n zeventig steden hebben gesticht, vele met de naam Alexandrië. De bedoeling was niet alleen de eigen roem te bestendigen, maar
ook een oplossing te bieden voor het probleem van de overbevolking in
het oude Griekenland. De aantrekkingskracht van die steden was zo
groot, dat delen van Griekenland bijna compleet ontvolkt raakten.

De beroemdste van alle hellenistische steden was ongetwijfeld de Egyptische havenstad Alexandrië, de hoofdstad van het Ptolemaeënrijk. Daar werd het Mouseion gesticht, een wetenschapscentrum met een van de grootste boekenverzamelingen ter wereld. Het aantal boekrollen werd geschat op meer dan 400.000. Tot aan de Arabische verovering van Egypte in 630 n.Chr. bleef Alexandrië aan de spits van de wetenschappelijke ontwikkeling. Op een eilandje Pharos voor de haveningang verrees ook 's werelds eerste vuurtoren, meer dan 100 meter hoog, en een van de zeven wereldwonderen.

De eeuw die volgde op Alexanders dood gaf een bloei van de economie te zien. Er kwam heel wat zilver- en goudgeld in omloop en het bankwezen ontwikkelde zich. Er werd gehandeld in slaven, aardewerk uit Attica (de streek rond Athene), graan, wijn, maar ook in luxegoederen als parfums, glas, kunstvoorwerpen en juwelen. Steden als Antiochië (in Syrië), Seleucia aan de Tigris en Alexandrië werden grote metropolen, waar honderdduizenden mensen woonden. In de Oudheid zouden slechts de steden Rome en Carthago hen in grootte overtreffen. Zij droegen karakteristieke Griekse kenmerken, af te lezen aan de *agora* (marktplein), de tempels, *gymnasia* (sportscholen), *stoa's* (zuilengalerijen) en theaters. Daar bloeiden literatuur en wetenschap. En ook de beeldhouwkunst en architectuur, zoals onder meer bleek uit het gigantische altaar van Pergamon uit 278 v.Chr., waarvan de friezen op dramatische wijze de strijd afbeeldden tussen goden en giganten. Het was een typisch voorbeeld van de heftige, emotionele, op sensatie gerichte vormentaal van de hellenistische beeldhouwkunst. Dit monument, te zien in een Berlijns museum, was bovendien bedoeld om de overwinning op de Europese Kelten te vieren die men had verslagen. 'Europa' stond dus voor barbarij, en 'Azië' voor civilisatie.

In de tweede eeuw v.Chr. kreeg de economie te lijden van inflatie en oorlogsgeweld. De hellenistische rijken werden kwetsbaar voor minder beschaafde volkeren die hun krachten beter konden bundelen. De veroveringen van Alexander betekenden niettemin een echt keerpunt in de geschiedenis. De snelheid waarmee het oude cultuurgebied van het Midden-Oosten zich drastisch liet helleniseren, onderstreepte de vitaliteit van de Griekse beschaving.

De Romeinen

De Romeinen kregen vaste voet in Azië toen de laatste koning van Pergamon, Attalos III, in 130 v.Chr. per testament zijn koninkrijk aan Rome naliet. Dat was kort nadat de Romeinen ook Carthago en Griekenland aan hun uitdijende rijk hadden toegevoegd. Sindsdien breidden deze imperialistische veroveraars, soms tegen wil en dank, hun machtsgebied verder uit over de rest van Klein-Azië. Op dit schiereiland kwamen steden tot bloei als Aphrodisias en Efese, de zetel van de legendarische Artemistempel uit de hellenistische periode, ook al een wereldwonder.

De resten van het Seleucidenrijk vormden de volgende prooi voor Rome. In 64 v.Chr. veroverde de Romeinse generaal Pompeius Syrië. Deze verovering vormde het sluitstuk van de zeer bloedige reeks oorlogen tegen koning Mithridates van Pontus, die al tienduizenden Romeinse burgers in Klein-Azië over de kling had gejaagd. De provincie Syrië werd vervolgens nog uitgebreid met vazalkoninkrijkjes die de Romeinen goed gezind waren, zoals Judea. Het Romeinse machtsgebied werd later afgerond met de inname van Mesopotamië.

Langs handelswegen door de Arabische woestijn konden oases uitgroeien tot belangrijke knooppunten, zoals nog valt te bewonderen in de ruïnes van de Syrische stad Palmyra. Die stad bereikte onder Romeins bestuur een opmerkelijke bloei in relatieve onafhankelijkheid, die zij dankte aan de handelsverbindingen met het oosten. De torengraven met hun opvallend levendige en charmante grafportretten getuigden van de vitaliteit van die cultuur. Andere plaatsen waar de Romeinen hun stempel drukten waren Baalbek (in het huidige Libanon) waar huizen met schitterende mozaïeken te bewonderen zijn, en Petra (in Jordanië) met zijn in rotsen uitgehakte graven, voorzien van gevels in hellenistische stijl.

De Romeinse bezetting veranderde betrekkelijk weinig aan het culturele patroon van de streek. De bovenlaag van de bevolking bleef Grieks spreken. Wel lieten de Romeinen typische elementen aan de veroverde steden toevoegen, zoals badhuizen, tempels en zuilengalerijen.

In 31 v.Chr., na de dood van de legendarische Ptolemaeïsche koningin Cleopatra, vestigden de Romeinen hun gezag eveneens definitief in Egypte, dat van grote betekenis was als de graanschuur van het Middellandse Zeegebied. Vanuit de haven van Alexandrië, ook onder Romeinse heerschappij een bruisende metropool, vertrokken de korenschepen naar Rome. Alexandrië bleef in intellectueel opzicht zijn nieuwe meesters nog lange tijd de baas. De geleerde Ptolemaeus lanceerde er in de tweede eeuw n.Chr. zijn theorie dat de aarde het middelpunt vormde van het heelal. Hij bracht zo'n enorme berg aan kennis over astronomie en geografie bijeen, dat zijn naam nog eeuwenlang met ontzag zou worden uitgesproken. Net als trouwens die van zijn tijdgenoot Galenus van Pergamon, wiens medische handboeken tot enkele eeuwen geleden standaardwerken waren. Ook op andere manieren genoot Romeins Egypte uitstraling. Taferelen uit het landschap van de Nijl waren bijvoorbeeld geliefde decoratieve motieven voor Romeinse mozaïeken zoals in Pompeji. En de zogenaamde Fayoemportretten, mummiemaskers op geschilderd hout uit de laat-Romeinse periode, geven individuele gelaatstrekken weer en getuigen van de vermenging van Egyptische en Grieks-Romeinse tradities.

De Romeinen tolereerden in het algemeen het voortbestaan van allerlei bestaande godsdiensten in de veroverde gebieden. Niemand was verplicht te offeren aan Jupiter. Bovendien voldeden de eigen goden op den duur niet meer in de behoefte aan mystiek en spiritualiteit. Zo kwam het, dat oosterse goden, zoals de Perzische lichtgod Mithras en de Egyptische godin Isis, later in Rome en in diverse Europese delen van het rijk hun cultusplaatsen kregen, tot in Noord-Engeland toe.

Het joodse volk onder Rome

Er was wel een probleem indien de onderdanen de goddelijke keizer niet wilden erkennen. En naarmate de cultus van de keizer dwingender werd, als bewijs van loyaliteit aan de nieuwe meesters, rees er verzet. Het eerst van de joden. Vanwege hun afwijkende religieuze gebruiken waren die niet geliefd bij de Romeinse machthebbers. Het volk van het Oude Testament woonde niet alleen in de provincie Judea, in de nabijheid van de herbouwde tempel van Salomon, maar ook in de diaspora ('verstrooiing') in de hellenistische wereld. Belangrijke joodse gemeenschappen bestonden bijvoorbeeld in Alexandrië en in Babylon. De joden genoten in Judea een vrijwel onafhankelijk bestaan sinds 167 v.Chr., het jaar van de opstand der Makkabaeërs tegen de politiek van hellenisering onder koning Antiochus. Dit duurde totdat Pompeius in 63 v.Chr. Judea veroverde. Daarna was er onrust: verschillen tussen voor- en tegenstanders van hellenisering, tussen 'zeloten' die onafhankelijkheid wilden en voorstanders van aanpassing aan het regime van Rome, en tussen voor- en tegenstanders van de uitheemse dynastie van koning Herodes de Grote (40 v.Chr.- 6 n.Chr.). Op geestelijk terrein was er spanning tussen farizeeërs (voorstanders van volksvroomheid en de vrije wil van de mens) en Sadduceeërs (de groep priesters voor wie de geschreven wet heilig was).

Steeds sterker leefde de verwachting van de komst van een Messias, een verlosser die de joden zou bevrijden van vreemde dominantie, en die de weg zou wijzen naar het rijk van God. In de Tenach was zijn komst voorspeld. Toen die zich aandiende in de persoon van Jezus Christus, werd deze door aanhangers weliswaar als zodanig herkend, maar veel joden hechtten daar geen geloof aan. Zij bleven uitkijken naar een duurzame politieke verlossing, om onder het juk van de Romeinse heerschappij uit te komen.

De regerende macht werd steeds minder joods en steeds meer Romeins. In de eerste twee eeuwen van de christelijke jaartelling voerden de joden drie grote oorlogen tegen Rome. De eerste was de grote opstand van 66 tot 73, die gesmoord werd toen de Romein Titus, de latere keizer, de tempel te Jeruzalem liet verwoesten. De opstand eindigde met de collectieve zelfmoord van 960 zeloten op de heuvel Masada, die niet in handen van de Romeinen wilden vallen. De tweede botsing vond plaats in Mesopotamië, waarbij keizer Trajanus' opdracht om alle joden uit dit gebied te verdrijven leidde tot het vermoorden van tienduizenden van hen. De derde en laatste grote confrontatie was de opstand van Bar Kochba (132-135). Ook deze poging om zich van het Romeinse bestuur te bevrijden mislukte. Keizer Trajanus richtte de provincie opnieuw in, onder de naam Palestina. Het leiderschap van het joodse volk verplaatste zich naar de diaspora; steeds massaler trokken joden weg uit Palestina, en zwermden zij uit over diverse delen van het Romeinse Rijk. Op de tempelberg te Jeruzalem verrees een heiligdom voor Jupiter. Thermen, theaters en hippodromen gaven de stad een nieuw karakter. In 212 kregen de joden net als andere groepen het Romeinse burgerrecht. Het zou tot het jaar 1948 duren voordat er opnieuw een onafhankelijke joodse staat kwam.

Het vroege christendom

Jezus was een uit Nazareth afkomstige jood. Door zijn volgelingen werd hij aangezien voor de langverwachte Messias. Dit woord, 'gezalfde', was in het Grieks *christos*, zodat men later is gaan spreken van Jezus Christus. Omstreeks het jaar 30 n.Chr. trok hij predikend rond, terwijl hij zich de zoon van God noemde. Hij kwam op voor de verdrukten en armen, en leerde zijn volgelingen dat ze naastenliefde moesten betrachten en respect voor de medemens. Voor goed gedrag zouden zij in het leven na de dood beloond worden. De schriftgeleerden vonden zijn optreden echter gevaarlijk. Kort na zijn triomfantelijke intocht in Jeruzalem werd hij gearresteerd en voor Pontius Pilatus geleid, de Romeinse landvoogd van Judea. Hij werd ter dood gebracht door kruisiging, overeenkomstig het Romeins recht.

Christus' aanhangers waren klein in aantal; praktisch alleen joden uit Jeruzalem. Pas door de prediking van de bekeerling Paulus, een vergriekste jood uit het Klein-Aziatische Tarsus, brak het christendom uit het joodse kader. Paulus formuleerde de 'theologie van het kruis'. Zijn brieven aan geloofsgenoten vormden de basis voor het nieuwe geloof. Zijn inspirerende levenslessen – zoals in de lofzang van de liefde – voorzagen de christenen van duidelijke normen. Samen met de evangeliën van Marcus, Lucas, Mattheüs en Johannes en het boek der Apocalyps vormden die later het Nieuwe Testament. Net als de apostel Petrus zou Paulus de marteldood zijn gestorven in Rome, tijdens het bewind van keizer Nero.

Door hun geloofsijver trokken de apostelen en hun navolgers de aandacht. Er ontstond een onafhankelijke kerkgemeenschap. Het christendom leek een gevaarlijke sekte, waarvan de leden weigerden de keizer te verafgoden. Maar het bloed der martelaren was het zaad van de kerk. Aanvankelijk waren de bekeerlingen te vinden in de grote steden van het Midden-Oosten. Zij kwamen voort uit de middengroepen en lagere klassen van de maatschappij: handwerkslieden, kooplieden, slaven en vooral veel vrouwen. Zij leefden in de stellige verwachting van de spoedige wederkomst op aarde van Christus, die zou komen oordelen over de levenden en de doden. De bekering van 'heidenen' (niet-christenen) vond plaats vanuit het Syrische Antiochië. De nieuwe religie verspreidde zich via de oostelijke kusten van de Middellandse Zee naar Klein-Azië en Griekenland. In de tweede eeuw n.Chr. bloeide de kerk al in Egypte en de rest van Noord-Afrika. Niet alleen in de steden, ook op afgelegen plaatsen zoals in de Sinaïwoestijn, waar de eerste kloosters werden gesticht en kluizenaars of heremieten de eenzaamheid van de woestijn opzochten.

De kerk kreeg een duidelijke structuur, een hiërarchische organisatie, van bisschoppen (van het Griekse woord *episkopos*, opzichter) en priesters. Aan het hoofd kwam de bisschop van Rome, die op den duur paus genoemd werd en die door de christenen werd beschouwd als opvolger van de apostel Petrus en dus als Gods plaatsvervanger op aarde.

In de derde eeuw n.Chr. namen de christenvervolgingen toe. Niet alleen omdat christenen zich deloyaal opstelden ten aanzien van de goddelijke keizer; zij weigerden vanuit pacifisme ook vaak militaire dienst en kregen bovendien de schuld van allerlei natuurrampen. De ergste christenvervolgingen deden zich voor onder keizer Diocletianus, die in 303 alle bijbels liet verbranden, kerken liet afbreken en samenkomsten liet verbieden. Hierop volgden de wreedste taferelen, zoals het voor de leeuwen werpen van christenen.

Van keizer Constantijn kregen de christenen geloofsvrijheid. In 313 werd die gegarandeerd in het Edict van Milaan. Vanaf dat moment kon de kerk zich vrij ontplooien. Het Romeinse Rijk werd officieel een christelijk rijk. Eind vierde eeuw riep keizer Theodosius de Grote het christendom zelfs uit tot staatsgodsdienst en verbood hij allerlei heidense religies.

De Parthen

Aan de oostelijke oevers van de Eufraat vonden de Romeinen het volk van de Parthen tegenover zich, met wie zij bloedige veldslagen uitvochten. De Parthen waren een Aziatisch nomadenvolk van paarden- en veefokkers, dat zich vroeg in de derde eeuw v.Chr. in Perzië had gevestigd, in 247 v.Chr. een onafhankelijk koninkrijk had gevormd, en zich meester had gemaakt van Mesopotamië, ten koste van het hellenistische Seleucidenrijk. Vanuit hun hoofdsteden Ctesiphon en Ecbatana beheersten de Parthen enkele eeuwen lang het uitgestrekte gebied tussen Syrië en de Indusvallei. De geschiedenis van het Parthenrijk is voornamelijk bekend uit Romeinse bronnen. Het moet een los georganiseerd rijk zijn geweest, met veel autonomie voor lokale landheren. De Parthen werden gevreesd vanwege hun boogschutters en hun geharnaste ruiterij, die – als hun dit uitkwam – de landheren voor de koning beschikbaar stelden. Een bron van inkomsten werd gevormd door de gelden uit de intercontinentale karavaanhandel, waarmee onder meer kostbare Chinese zijde naar de Middellandse Zee werd vervoerd.

Het rijk werd op den duur verzwakt door interne spanningen tussen de landheren en de verarmde boerenstand, en door rivaliteit tussen verschillende takken van de koninklijke familie. Aanvankelijk waren de Parthen bereid veel te leren van de door hen onderworpen hellenistische beschaving. Op den duur echter begonnen zij zich hiervan af te keren en kozen zij puur oosterse vormen voor hun architectuur, kleding en religie. De heersende dynastie, die der Arsaciden, beriep zich steeds vaker op afstamming van de heersers van het oude Perzische Rijk. Als godsdienst namen de Parthen de dualistische leer van Zarathoestra in aangepaste vorm over.

Tussen de jaren 80 en 224 waren er voortdurend oorlogen met Rome. Geen van beide partijen kon de andere verslaan. Tweemaal trok een Romeins keizer de hoofdstad Ctesiphon binnen: Trajanus in 115 en Septimius Severus in 198, maar beide keren sloegen de Parthen terug. Het Parthische Rijk werd in het jaar 224 ten slotte overweldigd door de Perzische dynastie der Sassaniden.

Het Sassanidenrijk

Gedurende vier eeuwen, tot de komst van de Arabieren, hielden de Sassaniden een nieuw Perzisch Rijk instand. Het vormde een geduchte militaire macht. Dat was noodzaak, aangezien het rijk bedreigd werd door de Romeinen en na hen de Byzantijnen in het westen. Later vormden ook het Kushanrijk, de Hunnen in het oosten en verschillende volkeren in het noorden een bedreiging. Het Sassanidische of Nieuw-Perzische Rijk werd dan ook veel strakker bestuurd dan dat van zijn voorgangers, de Parthen. Er kwam een krachtige bureaucratische staatsstructuur tot stand, met een aparte hiërarchie van ambtenaren die de koninklijke huishouding regelden. Net als de Parthische heersers probeerden de Sassanidische koningen hun regime legitimiteit te geven door zich te beroepen op directe afstamming van de heersers van het oude Perzië vanaf Cyrus de Grote. Om dezelfde reden transformeerden zij het oude geloof van Zarathoestra tot een strenge staatsreligie.

In de oorlogen tegen de Romeinen gebruikten de Sassaniden naast infanterie ook olifanten. Hun zware cavalerie was uitgerust met lange lansen en ijzeren pantserplaten, die man en paard goed beschermden. Hun kracht was haast niet te weerstaan. In de slag bij Edessa slaagde koning Sapor I erin de stad Antiochië te veroveren en de Romeinse keizer Valerianus gevangen te nemen. Latere koningen namen de wapens op tegen de Byzantijnen. In 610 bereikten de legers van Chosroës II de Bosporus, en korte tijd later Antiochië, Damascus, Jeruzalem en Alexandrië. De Byzantijnen sloegen terug. In 627 behaalde de Byzantijnse keizer Heraclius een grote overwinning op de Perzen bij Arbela aan de Tigris. De Perzische koning vluchtte naar het nabijgelegen Ctesiphon waar hij het jaar daarop werd vermoord.

De oorlogen tussen de Perzen en Byzantijnen, en de gevechten van de Perzen tegen invallende volkeren vanuit Azië putten het rijk op den duur uit. De nederlaag tegen de Arabieren in 651, die het doek deed vallen over het Sassanidenrijk, wordt hierdoor verklaarbaar.

Het Byzantijnse Rijk

Het Romeinse Rijk werd in 395 opgesplitst in een oostelijk en een westelijk deel. Toen het West-Romeinse Rijk in 476 onder druk van de volksverhuizing ten val kwam, werden de keizerlijke *insignia* (emblemen) naar Constantinopel gestuurd; de keizer daar werd geacht heel het Romeinse Rijk te besturen. Het Oost-Romeinse Rijk werd spoedig Byzantijnse Rijk genoemd, naar de oude naam voor Constantinopel (Byzantium). Het bestond uit drie hoofdbestanddelen: het Europese deel bestreek het Balkanschiereiland, het Aziatische bestond uit Anatolië (tot en met de poorten van de Kaukasus), Syrië en Palestina, en het Afrikaanse werd gevormd door Egypte en de Middellandse Zeekust tot voorbij Cyrene. De officiële taal van het rijk was eerst Latijn en later Grieks, en het christendom werd de staatsgodsdienst.

De ruggengraat van het rijk werd gevormd door een wegennet dat vanuit Constantinopel in diverse windrichtingen leidde. Deze wegen waren van vitaal belang voor de verdediging van het rijk, voor de handel en de verbreiding van de godsdienst. Net als in het Romeinse Rijk bloeiden handel, industrie, kunsten en wetenschappen. Het rijk profiteerde lange tijd van zijn gunstige ligging tussen oost en west. Zelfs op het verre eiland Ceylon waren Byzantijnse handelswaren te koop. Chinese zijde arriveerde per karavaan in Antiochië, en via de Rode-Zeehaven Eilath kwamen ivoor uit Afrika en reukstoffen uit Jemen. De munt was lange tijd stabiel, dankzij een doelgerichte overheidspolitiek.

Constantinopel was een sprookjesachtige stad, strategisch gelegen aan de Bosporus en de Gouden Hoorn, en verdedigd door stevige muren. De stad werd 'het tweede Rome' genoemd. Er waren prachtige paleizen, openbare gebouwen en kerken. Net als in Rome was er een wagenrenbaan en een aquaduct. Ook kwam er de kunst van iconen, op houten panelen geschilderde (heiligen)portretten, tot bloei.

Uit de wirwar van Romeinse wetgeving en rechtspraak liet keizer Justinianus (527-565) de *Codex Iuris Civilis* samenstellen. Dit wetboek vormde de basis voor alle latere wetgeving. Bovendien liet Justinianus de Hagia Sofia (of Aya Sofia) bouwen, een kerk met een indrukwekkende koepelconstructie van meer dan 50 meter hoog, die Justinianus deed uitroepen: 'Salomon, ik heb u overtroffen!' De keizer veroverde Italië en andere delen van het oude rijk. In Ravenna werd onder meer de achthoekige San Vitale gebouwd, die net als de Hagia Sofia versierd werd met prachtige mozaïeken, onder meer van de keizer en zijn hofhouding.

In latere eeuwen moest het Byzantijnse Rijk echter steeds meer gebied prijsgeven. Ook werd het rijk verzwakt door interne twisten met een religieuze achtergrond. Keizer Heraclius, die kort tevoren nog de Perzen had teruggedrongen, kon in 636 niet op tegen de Arabieren en moest Syrië en Palestina prijsgeven; kort na zijn dood ging ook Egypte verloren. De stad Constantinopel doorstond allerlei belegeringen. Reeds rond het jaar 675, en nog eens in 717-718 werd de stad door de Arabieren omsingeld. Er volgden invallen van Avaren, Slaven, Bulgaren en Perzen. In de tiende en elfde eeuw was Byzantium opnieuw een grootmacht die heerste van Italië tot de oostkust van de Zwarte Zee. Kort daarop trad wederom verval in. De kruisvaarders teisterden de stad, het ergst in 1204. Klein-

Azië en de Balkan vielen in handen van de Turken. Door allerlei ontwikkelingen kwamen de oost-westhandelsverbindingen anders te liggen, zodat Constantinopel voortaan belangrijke inkomsten misliep. Op het laatst bestond het rijk nog slechts uit Constantinopel en directe omgeving. Ten slotte werd de stad in 1453 na een lang beleg door de Turken veroverd.

De uitstraling van de Byzantijnse cultuur in Oost-Europa is enorm geweest. Het rijk heeft tenslotte meer dan duizend jaar bestaan. Bulgaren, Serven en Russen werden vanuit Byzantium gekerstend en het Griekse alfabet, de architectuur en de kunst vonden hun weg naar deze Slavische volkeren. Nog altijd is die invloed zichtbaar.

Ook op het Midden-Oosten drukte het stempel van Byzantium, maar later zijn de sporen daarvan grotendeels weggevaagd door de storm die in de zevende eeuw opstak vanuit de Arabische woestijn: de triomftocht van de islam.

2 De islam en de Arabische cultuur in de Middeleeuwen ± 600 - 1300

In het begin van de zevende eeuw ontsprong aan het Arabisch schiereiland een nieuw geloof, dat weldra de oude wereld op zijn grondvesten zou doen schudden. Reeds een eeuw later was de islam de overheersende godsdienst van Marokko tot India. Een geheel nieuwe cultuur ontstond, met uitstraling tot ver in Europa, Afrika en Azië. Hoe was deze revolutionaire ontwikkeling mogelijk?

Mohammed

Het verhaal van Mohammeds leven kennen we alleen uit moslimgeschriften en overleveringen. Zolang geen andere documenten of inscripties opduiken, moeten we de vroege verhalen met voorzichtigheid hanteren. Volgens deze bronnen werd de profeet Mohammed rond het jaar 570 geboren in de oasestad Mekka in de streek Hedjaz, in het westelijk deel van het Arabisch schiereiland. Hij behoorde tot een stam van handelaren. Toen Mohammed geboren werd, was zijn vader al gestorven; zijn moeder stierf toen hij zes was. Hij werd opgevoed door zijn oom, Aboe Talib.

Arabië was grotendeels onbewoond woestijngebied, met steppen en hier en daar oases. De bewoners waren nomaden, die de kost verdienden met het houden van kamelen, schapen en geiten. Of het waren boeren, die graan en dadelpalmen verbouwden in de oases. Mekka was een van de weinige steden, een knooppunt van karavaanroutes. Hier stond het heiligdom dat verschillende stammen gebruikten voor hun natuurgodsdienst, de ka'ba, een kubusvormig gebouw. De ka'ba bevatte sinds onheuglijke tijden een zwarte steen, waarschijnlijk een meteoorsteen, die als heilig voorwerp werd vereerd. De macht van Byzantium en Perzië reikte niet tot in het grote, onherbergzame Arabië.

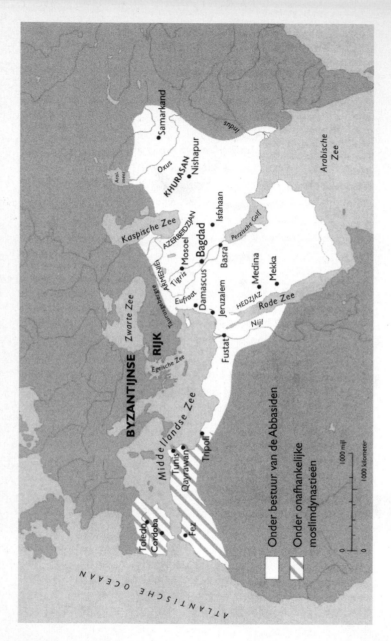

De landen van de islam begin negende eeuw.

Mohammed trok met karavanen mee, in dienst van een rijke koopmansweduwe, Chadidja. Met haar trouwde hij toen hij 25 was. Hun drie zoons stierven jong, en van hun vier dochters zou alleen Fatima later voor nageslacht zorgen. Op zijn reizen kwam Mohammed in aanraking met joden en christenen. Hij voelde de behoefte aan een soortgelijk samenhangend geloof voor zijn eigen volk. Rond het jaar 610 kreeg Mohammed een verschijning van een gestalte die hem opriep de boodschapper van God te worden. Volgens de overlevering was het de engel Gabriël, die de boodschap van Allah openbaarde, de enige ware God. Die had zich al eerder tot de joden en de christenen gewend, maar die hadden Hem niet begrepen. Mohammeds doel was herstel van het ware monotheïsme, dat door Mozes en Jezus eerder ook was gepredikt. Deze beiden waren ook profeten van God, maar Mohammed was de laatste, ofwel 'het zegel der profeten'. Regelmatig bleef Mohammed boodschappen van boven ontvangen. De openbaringen aan Mohammed vormden later de koran, het heilige boek van de moslims. Moslims zijn zij die de islam belijden. Islam betekent letterlijk: onderwerping aan Gods wil. Mohammed verkondigde dat voor God alle mensen gelijk waren. Aan het einde der tijden zou God over alle mensen oordelen, en de hemel was alleen bestemd voor wie leefde naar Gods wil.

Aanvankelijk had Mohammed weinig succes met zijn geloofsprediking. Toch groeide zijn aanhang geleidelijk en dat bracht hem in conflict met de machthebbers in Mekka, die zijn stellingen beschouwden als een gevaar voor hun eigen godsdienst. In 622 werd hem de grond in Mekka te heet onder de voeten. Hij vluchtte naar de nederzetting Jathrib, 300 kilometer noordelijk. Later heette deze stad Medina. Met deze vlucht – in het Arabisch hidjra – begint de islamitische jaartelling.

In Medina wist Mohammed een vrede te bewerkstelligen tussen zijn aanhangers en een tweetal daar woonachtige stammen. Met de joden vocht hij een conflict uit; die werden uit de stad verdreven of gedood. In 630 wist Mohammed vanuit Medina met 10.000 man bezit te nemen van de stad Mekka. Hij liet er alle heidense heiligdommen slopen. Later werd bepaald dat alleen moslims toegang hadden tot Mekka. Mohammed stierf in 632, als heerser over een groot deel van het Arabisch schiereiland. Voor mannelijke moslims bezat de geïdealiseerde Mohammed eigenschappen die zij zichzelf ook toewensten: vroomheid, strijdlust en viriliteit.

Leer en regels van de islam

Kort na Mohammeds dood werden de goddelijke openbaringen verzameld, op papyrus, perkament of stukken leer. Onder de derde kalief (opvolger) Oethman, rond 650, werd de definitieve tekst van de koran vastgesteld; volgens sommige onderzoekers gebeurde dat pas veel later. De koran werd niet de enige geloofsbron. Naast de koran bestond de soenna, het geheel van uitspraken en stilzwijgende goedkeuringen van de profeet. De soenna werd doorgegeven in verhalen van metgezellen van Mohammed. Vervolgens werden ze van generatie op generatie overgeleverd. Ruim 7000 van die uitspraken zijn door latere schriftgeleerden als echt erkend.

De islam vormt een synthese van de joods-christelijke traditie en het sluimerende Arabische zelfbewustzijn. Om hun leven te baseren op het woord van God, moeten moslims vijf plichten vervullen, de vijf zuilen. De *sjahada* is de geloofsbelijdenis: 'Er is geen godheid dan God, en Mohammed is zijn profeet.' De *salaat* is het gebed waartoe moslims vijfmaal per dag vanaf de minaret (gebedstoren) van de moskee worden opgeroepen; het gebed dient te geschieden in de richting van Mekka. Mannen moeten daartoe op vrijdagmiddag bij voorkeur bijeenkomen in de moskee. Dit vrijdaggebed is in de Ottomaanse tijd ingeburgerd. De *zakaat* is de liefdadigheid. De koran zegt dat iedereen moet geven wat hij kan missen. De zakaat werd op den duur een soort belasting of heffing. De *ramadan* is een vastenperiode van ongeveer een maand. Tussen zonsopgang en zonsondergang mogen moslims vanaf tien jaar dan niet eten, drinken, roken of seks hebben. De *hadj* is de bedevaart naar Mekka, die elke moslim die het zich kan veroorloven minstens eenmaal in zijn leven moet ondernemen. Hoogtepunt is het bezoek aan de ka'ba. Naast deze vijf zuilen is er nog een zesde plicht, de *jihad* (of *jihaad*). Het woord betekent letterlijk: beheersing. Volgens sommigen is de jihad vooral defensief bedoeld: een strijd tegen de zondigheid in de mens, het zuiver houden van de eigen ziel. Anderen benadrukken dat het erom gaat de islam over de wereld te verspreiden, en op te treden tegen de zondaars, zoals de heersers die het niet nauw genoeg nemen met de leer. De jihad wordt dan uitgelegd als het voeren van een heilige oorlog tegen de ongelovigen.

De koran geeft ook talrijke regels, geboden en verboden: over huwelijk, erfrecht, bestraffing van diefstal, enzovoort. De soenna vult de koran zonodig nog aan. Het geheel van wetten en maatschappelijke voorschriften binnen de islam heet 'sharia'. Aan de basis daarvan liggen koran, analogie (van eerdere gerechtelijke beslissingen), consensus (van de godgeleerden) en traditie (zoals de handelingen van de profeet).

Ten tijde van Mohammed was er geen gelijkheid tussen man en vrouw. Waarschijnlijk heeft Mohammed de positie van de vrouw verbeterd. Zo heeft hij bepaald dat een man niet meer met een onbeperkt aantal vrouwen mag huwen. Volgens de sharia mag een man hoogstens vier vrouwen hebben. Hij moet er dan wel goed voor kunnen zorgen. Een vrouw mag niet meer dan één man hebben. De man kan de vrouw zonder meer verstoten, andersom niet. Per saldo bleef de positie van de vrouw dus ondergeschikt aan die van de man. Hoewel de bepalingen in onze tijd in veel Arabische landen zijn aangepast, is de positie van de vrouw in het algemeen nog steeds ondergeschikt.

De vorming van het Arabische Rijk

De expansie van de islam vormt een spectaculair fenomeen. In zeer korte tijd wist Mohammed de Arabieren van zijn gelijk te overtuigen. Binnen een eeuw na zijn dood was er al een islamitisch wereldrijk dat zich uitstrekte over heel het Midden-Oosten, tot diep in Centraal-Azië; in het westen omvatte het heel Noord-Afrika, Spanje en Zuid-Frankrijk.

Hoe kon zo'n rijk ontstaan? Die vraag is niet zo gemakkelijk te beantwoorden. De islam zelf speelde een rol. De nieuwe religie gaf inspiratie: de plicht van de jihad was een sterke impuls, en het verbod op alcohol versterkte de discipline van de legers. Maar volgens veel onderzoekers waren sociaal-economische drijfveren minstens zo belangrijk: de armoede en de voortdurende droogte van het ongastvrije Arabische schiereiland. Die dreven de bewoners naar nieuwe woongebieden, zoals de groene akkers van de Eufraat en de Tigris. De eerste kaliefen wilden bovendien voorkomen dat de aanwezige energie zou worden opgebruikt door onderlinge stamtegenstellingen; dé manier was om die te bundelen en naar buiten te richten.

Toch blijft het raadselachtig hoe snel de strijdkrachten van Byzantium en Perzië zich gewonnen gaven. Het kan niet gelegen hebben aan de superioriteit van het aantal Arabieren, hun bewapening of krijgskunde. In de slag bij Jarmoek (ten zuiden van Damascus) stonden naar schatting 25.000 Arabieren tegenover 40.000 Byzantijnen; in de slag bij Qaddisya nabij de Eufraat (637) waren het 7000 Arabieren die oog in oog stonden met 29.000 Perzen en hun olifanten. In beide gevallen wonnen de Arabieren. Verrassing en snelheid waren van belang. De Arabieren waren geoefende ruiters die hun paarden en kamelen handiger konden gebruiken dan enig ander volk. Onder de strijdkreet: 'Allah akbar!' (Allah is groot!) vochten zij met ware doodsverachting tegen de vijand.

Een andere veelgenoemde verklaring is, dat het Byzantijnse Rijk en het Sassanidenrijk geteisterd werden door armoede, economische achteruitgang en pestepidemieën. Bovendien was Byzantium verzwakt door felle theologische twisten tussen verschillende groepen christenen. De christenen in het Midden-Oosten merkten dat zij hun godsdienst onder moslimheerschappij ongestoord konden uitoefenen, omdat zij volgens de sharia gezien werden als 'volkeren van het boek': dat zij door God waren uitverkoren, al hadden ze dan Gods ware bedoelingen nog niet begrepen.

De veroveringen gingen snel, en bovendien vrijwel tegelijk in drie hoofdrichtingen. Eén aanvalsgolf ging naar het oosten, naar de poorten van Centraal-Azië, waarbij het Sassanidische Rijk compleet onder de voet werd gelopen. De tweede ging naar het noorden, naar Syrië en Palestina. In 635 trokken de Arabieren Damascus binnen, en in 638 Jeruzalem. De derde beweging was westwaarts. In 639 overschreden moslimlegers de grenzen van Egypte, dat zich in 641 gewonnen gaf. Rond 670 werd in de veldtocht tegen het verzwakte Byzantijnse Rijk Tunesië bereikt. Tien jaar later drongen de Arabieren door in Algerije en Marokko. In 711 staken zij onder de aanvoerder Tarik over naar Europa. De rots en de zeestraat dragen nog altijd diens Arabische naam: Gibraltar (van 'djebel-al-Tarik', 'rots van Tarik'). Rond 730 werd de barrière van de Pyreneeën genomen en stroomden de Arabische legers Frankrijk binnen. De Frankische hofmeier Karel Martel riep hen in 733 of 734 nabij Tours (volgens oudere geschiedboeken: in 732 bij Poitiers) een halt toe. Onder historici bestaat discussie of de uitkomst van deze veldslag wel zo beslissend was, en of zij een zegen dan wel een vloek betekende voor West-Europa; de chris-

tenheid werd weliswaar gered, maar de vruchten van de hoge middeleeuwse Arabische beschaving konden de Europeanen niet plukken. De
strijd ging nog een eeuw door. In de negende eeuw veroverden de Arabieren Sicilië (dat zij tot eind elfde eeuw in bezit hielden) en in het jaar 846
plunderden zij Rome.

Het Arabische Rijk: de Ommayyaden

De eerste vier kaliefen, opvolgers van de profeet, (Aboe Bakr, Oemar,
Oethman en Ali) staan bekend als de 'rechtgeleide kaliefen'. Zij kwamen
voort uit de kleine groep leiders uit de stam van de profeet, en leefden
nog in eenvoud. De opvolging was echter niet goed geregeld. Het was
onduidelijk of de kalief uit de directe familie van de profeet moest worden gekozen, of uit de hele stam. Het conflict hierover ontaardde in een
korte, felle burgeroorlog (656-661) waarin twee partijen tegenover elkaar
stonden. Aan de ene kant Ali, neef en schoonzoon van Mohammed (de
echtgenoot van diens dochter Fatima), die een terugkeer naar de zuivere
eenvoud van de profeet bepleitte. Aan de andere kant de gouverneur van
de provincie Syrië, Moe'awijja (een nauwe verwant van Oethman), die ze-
gevierde. Deze laatste stichtte in 661 de eerste erfelijke dynastie, die der
Omayyaden, die vanuit Damascus ging regeren, een stad met goede ver-
bindingen.

Ali werd in datzelfde jaar vermoord. Zijn volgelingen lieten het er
evenwel niet bij zitten. Zij vormden een partij van Ali, 'shia Ali', die zich
verbeten bleef verzetten. Op den duur werden zij 'sjiieten' genoemd. Hun
tegenstanders (de hoofdstroom van de islamieten) claimden de soenna,
de uitspraken van de profeet, te volgen en verwierven het etiket 'soennieten'. De opvolgingsstrijd brak opnieuw uit in 680, bij de dood van de eerste Omayyadenkalief. Soldaten van zijn rechtmatige opvolger maakten
de sjiitische troonpretendent Hoessein, zoon van Ali en kleinzoon van de
profeet Mohammed, letterlijk een kopje kleiner. Deze traumatische gebeurtenis vormde voor de sjiieten een rouwdag die sindsdien elk jaar her-
dacht werd. De Iraakse stad Karbala, waar het bloedbad plaatsvond,
werd een belangrijk sjiitisch heiligdom. De sjiieten veranderden op den
duur van een partij in een religieuze sekte, waardoor de vijandschap een

bitter en fel karakter kreeg. In 874 verdween de twaalfde imam, de sjiitische geestelijk leider, spoorloos. Zijn aanhangers wachtten zelfs eeuwen later nog op zijn terugkeer. Zij bleven hoop koesteren dat hij ooit rechtvaardigheid zou komen herstellen in de gedaante van de verlosser van de mahdi, 'hij die geleid wordt'.

Het hof van de Omayyaden te Damascus straalde macht en rijkdom uit. De kaliefen heersten als oosterse despoten, en stonden nogal wat Byzantijnse invloeden toe. Zij ontvingen gasten met een weelderig ceremonieel, dat was afgekeken van de Byzantijnse keizers en van de Perzische koningen. Zij maakten gebruik van een hiërarchisch geordend ambtenarenapparaat. Aanvankelijk was daarin de Griekse taal nog de officiële, maar die werd rond 690 door het Arabisch verdrongen. Er kwam een professioneel leger, en er ontstond een heersende klasse van legeraanvoerders en stamhoofden; de families van Mekka en Medina telden niet meer zo mee. De Omayyaden lieten luxe buitenverblijven bouwen. Ze schiepen een mengkunst van Byzantijnse en islamitische motieven, zoals te zien is in vroegislamitisch beeldhouwwerk en mozaïeken. De bestaande irrigatiewerken en landbouwsystemen werden in stand gehouden.

Daarnaast werden de eerste moskeeën gebouwd. In 706 verrees in hartje Damascus een grote gebedsruimte, de Omayyadenmoskee, op een plek waar ooit een Jupitertempel en een christelijke kathedraal hadden gestaan. Ook de beroemde Koepel van de Rots met zijn gouden kap op de Tempelberg te Jeruzalem stamt uit de Omayyadentijd. Volgens de joodse overlevering was dit de plek waar aartsvader Abraham zijn zoon Isaac had willen offeren. Samen met de Al-Aqsa-moskee vormde de Rotskoepel het eerste grote gebouwencomplex van de nieuwe religie. Dat Jeruzalem – de allerheiligste stad voor zowel joden als christenen – door de islam werd uitverkoren als centrum van haar universum was van grote betekenis. Volgens latere interpretaties van het islamgeloof was Mohammed ooit vanuit deze plek naar de hemel opgestegen. De naam Jeruzalem kwam echter niet voor in de koran en oude geschriften. De overlevering noemde alleen Mekka en Medina als heilige steden. De heiligheid van Jeruzalem zou volgens sommigen berusten op een verwarring met het joodse geloof. In 832 bracht een kalief voor het eerst munten in omloop waarop Jeruzalem als Al-Koeds, 'heilige stad', werd aangeduid.

Door stamtwisten werd de heerschappij van de Ommayyaden ver-zwakt. In 750 greep de dynastie van de Abbasiden de macht, die bestond uit afstammelingen van Abbas, familielid van Mohammed. De laatste Omayyadenkalief en negentig van zijn familieleden werden gedood.

Eén lid van de Omayyadenfamilie wist te ontkomen en vluchtte naar Spanje. Gesteund door de Arabieren die daar de macht in handen had-den, stichtte hij daar een eigen kalifaat met Cordoba als hoofdstad. Dit kalifaat viel begin elfde eeuw uiteen in kleine koninkrijkjes, die op hun beurt weer werden ingenomen door Berbervolkeren uit Marokko: eerst de Almoraviden (1056-1147) en daarna de Almohaden, wier Berberrijk op zijn hoogtepunt heel Marokko, Algerije, Tunesië en islamitisch Spanje omvatte (1130-1269).

Het Arabische Rijk: de Abbasiden

De Abbasiden vestigden zich in Bagdad. De steden van Irak lagen gunsti-ger dan die van Syrië, dat grensde aan het vijandige Byzantijnse Rijk. Zij lagen in uitgestrekte geïrrigeerde gebieden en ze konden veel nieuwko-mers opnemen. De rijkszaken werden nog beter geregeld nadat er leden van de vroegere Perzische heersersklasse als bestuurders werden aan-getrokken. Zij versterkten het Perzische element in het rijk.

De Abbasiden oefenden een sterke centrale macht uit. Onder de kalie-fen Al-Mansoer (754-775) en Haroen al-Rashied (786-809) groeide de nieuwe hoofdstad Bagdad uit tot een stralende stad. Deze was gelegen op een punt waar de Eufraat en de Tigris vlak naast elkaar stromen en een kanalensysteem garant kon staan voor vruchtbare akkers, die voedsel voor de stad en belastinginkomsten voor de schatkist opleverden. De stad Bagdad werd bewust zo ingericht, dat er afstand tussen de heersers en het volk werd geschapen. In het centrum aan de westoever van de Ti-gris lag de 'ronde stad' met het paleis, de kazernes en de kantoren. De woonwijken lagen daarbuiten. Bagdad zou rond de één miljoen inwo-ners hebben geteld, maar historici trekken dit hoge getal in twijfel. In 836 keerden de Abbasidische heersers, die zich bedreigd voelden door Turkse stammen, Bagdad tijdelijk de rug toe om een halve eeuw lang te gaan wonen in de nieuwe stad Samarra, stroomopwaarts aan de Tigris. Hier werd een gigantische moskee gebouwd, met een spiraalvormige minaret.

In zijn afgesloten paleizencomplex oefende de kalief te midden van hoogwaardigheidsbekleders zijn macht uit. Hij werd geadviseerd door een vizier, die op den duur steeds belangrijker werd als hoofd van het regeringsapparaat. Dit apparaat werd verdeeld in *divaans* (ministeries) voor onder meer legerzaken, financiën en binnenlands bestuur. Een inlichtingendienst hield de kalief op de hoogte van wat er zich in de provincies afspeelde. Er ontstond een uitgekiend stelsel van belastingheffing. Het Abbasidenrijk strekte zich uit over het Arabisch schiereiland, heel het gebied van de Vruchtbare Halve Maan en Iran.

In 969 kwam er naast Bagdad en Cordoba nog een derde kalifaat bij. De provincie Egypte werd ingenomen door de sjiitische dynastie der Fatimiden. Zij transformeerden Egypte tot een bloeiend zelfstandig kalifaat, met als hoofdstad Caïro, dat uitgroeide tot een stad met een kwart miljoen inwoners. In het hart lag de beroemde Al-Azhar-moskee, die eeuwenlang een gezaghebbend centrum van het moslimgeloof zou blijven. Het Fatimidenrijk straalde macht en welvaart uit. Meer dan twee eeuwen hield het Fatimidenbewind stand, totdat het in 1174 door de Koerdische legeraanvoerder Saladin ten val werd gebracht.

Islamisering en de relatie met niet-moslims

Elke inwoner van het Arabisch Rijk kon moslim worden. De nieuwe moskeeën waren méér dan symbolen van de macht van de Ommayyaden en de Abbasiden. Zij gaven identiteit aan de nieuwe geloofsgemeenschap, en zij waren brandpunten van waaruit het geloof zich verbreidde. De kalief werd geacht de islamitische gemeenschap te beschermen tegen aanvallen van ongelovigen (*kafirs*). Hij keek toe op de uitvoering van de islamitische wet. Hierin werd hij bijgestaan door de geestelijken, de wetsgeleerden (*ulema*), die de wet toepasten in gerechtshoven.

Het geloof verbreidde zich. Hoe het proces van islamisering precies is verlopen, is moeilijk te reconstrueren. Arabieren die al op het platteland in Syrië en Irak woonden, zullen met gemak tot het nieuwe geloof zijn overgegaan. Immigranten in de steden lieten zich vaak bekeren om te ontkomen aan de nieuwe belasting die de heersers aan niet-moslims oplegden. Daarnaast zullen christenen gecharmeerd zijn geraakt van de eenvoud van de boodschap van Mohammed. Er was geen kerk of ingewikkeld bekeringsritueel. De eenvoudige uitspraak dat men Allah als enige god aanvaardde, was voldoende. Rond het jaar 1000 was de islam al de godsdienst van de vorsten, de heersende groepen en een groot deel van de bevolking. In de eeuwen daarna breidde het geloof zich alleen maar verder uit. Verreweg de meeste islamieten hingen de soennitische variant van de islam aan.

Mét de islam verspreidde zich ook de Arabische taal. De koran mocht namelijk nog lange tijd niet in een andere taal dan het Arabisch worden verspreid. In heel het rijk werd de Arabische taal de meest gangbare. Wie de koran niet kon lezen, telde niet mee. Al spraken niet alle bewoners Arabisch, die taal bevorderde de eenheid. In Iran handhaafde zich echter – als uitdrukking van de eigen cultuur – de Perzische taal, het Pahlavi. Het verschil tussen Arabieren en Perzen bleef bestaan, en de Perzisch taal vernieuwde zich zelfs, wat bleek uit een geheel eigen literaire productie.

Volgens de islamitische regels waren christenen en joden niet verplicht zich te bekeren, omdat ze ook een goddelijke openbaring hebben gekregen, al was die dan achterhaald. De meeste christenen woonden in Syrië en Noord-Irak. In Egypte handhaafde zich de koptische kerk, tot op de dag van vandaag. Joden woonden wijd en zijd verspreid over de hele wereld van de islam. Zowel joden als christenen stonden als dhimmi's, 'beschermelingen', onder protectie van de islamitische staat. Zij hadden hun eigen kerkorganisaties, met patriarchen, bisschoppen en rabbijnen.

Dit wil niet zeggen dat zij niet gediscrimineerd werden. Ze moesten extra belasting betalen, ze mochten geen moslimvrouwen trouwen en het was hun verboden wapens te dragen. Verder mochten joden en christenen geen opzichtige kleding dragen, geen paarden berijden (wel ezels) en geen nieuwe kerken of synagogen bouwen. Onder geen beding mochten zij proberen moslims tot het christendom of jodendom te bekeren.

Ondanks deze regels kende de islam een veel tolerantere houding ten opzichte van andersgelovigen dan het christendom. Systematische gedwongen bekeringen zoals de inquisitie in de katholieke wereld zou gaan uitvoeren waren onbekend. Joden werden niet in getto's ingeperkt, behalve in Marokko. De moslimheersers beseften dat ze afhankelijk waren van de oorspronkelijke bevolking, zeker in het begin, toen er nog weinig vrijwillige bekeringen hadden plaatsgevonden. Vaak vervulden christenen en joden ook belangrijke economische functies in de handel en bankwereld, waardoor het moeilijk was hen te discrimineren. De grootste geleerde van de middeleeuwse joods cultuur, Maimonides (1135-1204), was hofarts van de islamitische heerser Saladin en diens zoon. Na 1200 werd de afstand tussen de joodse en de islamitische cultuur groter, onder meer doordat de islam zich niet meer de generositeit kon permitteren die onbedreigde heersers vaak kenmerkt.

Een voorbeeld van vergaande integratie en culturele uitwisseling vormde Andalusië tussen 711 en 1492. Hoewel de taal Arabisch was, werd de cultuur er gedeeld door christenen en joden, die nauw betrokken waren bij de bloei van wetenschap, dichtkunst en architectuur.

De Arabische gouden eeuw

In het razendsnel tot stand gekomen Arabische Rijk ontwikkelde zich een verbluffende economische en culturele activiteit. De goede organisatie bleek alleen al uit het bestaan van een keten van grote steden, die via een wegennet met elkaar verbonden waren. De grootste steden van de toenmaals bekende wereld waren te vinden in de Arabische wereld: Bagdad, Caïro en Cordoba. Daar vormden kooplieden de invloedrijkste groep. Ze haalden textiel, glas, porselein en specerijen uit China en Zuidoost-Azië, via havens aan de Rode Zee of aan de Perzische Golf, zoals Basra, de thuishaven van de sprookjesfiguur Sindbad de Zeeman en andere figuren uit *De vertellingen van 1001 nacht*. Er waren bovendien in die steden veel gespecialiseerde handwerkslieden. Zij handelden met kooplieden uit Genua die intermediair waren tussen de Arabische wereld en Europa. Zij ruilden de producten uit het verre oosten tegen de goederen uit Spanje en de Middellandse-Zeelanden.

Op het platteland woonden de mensen bij voorkeur in gebieden waar genoeg regen viel of waar rivieren (de Nijl, de Eufraat, de Tigris) voor voldoende water zorgden om landbouw mogelijk te maken. Belangrijke producten van het platteland waren graan, olijven en dadels. De landbouwproductie steeg met sprongen en vormde de basis voor de welvaart van de gouden eeuw. Allerlei landbouwgewassen uit India of het Middellandse-Zeegebied werden succesvol geïntroduceerd, zoals rijst, rietsuiker, bananen, dadelpalmen, spinazie en katoen. Historici spreken van een ware landbouwrevolutie, de belangrijkste sinds de ontdekking van de landbouw. Ook veeteelt speelde een grote rol. Veel plattelandsbewoners waren boer en herder tegelijk. De agrarische revolutie beïnvloedde de eetpatronen en het kleedgedrag. Zij legde ook de basis voor de luxueuze levensstijl aan de hoven van kaliefen en in de villa's van de kooplieden. Die trokken massa's kunstenaars, geleerden en schrijvers aan en bevorderden zo cultuur en wetenschap.

Tussen 800 en 1200 bereikten de wetenschap en de cultuur van de Arabieren een hoog niveau. Eerst lag het culturele centrum in het oosten, met name in de Abbasidische hoofdstad Bagdad. Later werden Cordoba en Granada (Spanje) en het Marokkaanse Fes de voornaamste brandpunten van cultuur. De Arabieren leverden belangrijke prestaties op diverse terreinen. Zo hielden zij zich bezig met de filosofie. Kalief Mamoen (813-833) liet in Bagdad het Huis der Wijsheid oprichten, een beroemd centrum met onder meer een bibliotheek, een vertaalbureau en een school. Binnen driekwart eeuw waren de belangrijkste denkbeelden van onder meer de Grieken in het Arabisch vertaald, zoals de wijsgerige boeken van Plato en Aristoteles en de studies van Ptolemaeus en Galenus. Via vertalingen uit het Arabisch in het Latijn kwam Aristoteles onder de aandacht van Europeanen, eerder dan door de Griekse tekst. De introductie van papier was hierbij van groot belang. De kunst van papierfabricage werd in 751 van de Chinezen afgekeken. Papier is minder vergankelijk dan papyrus en veel goedkoper dan perkament. Dit vergrootte de markt voor manuscripten aanzienlijk.

De basis van de Arabische wetenschap was de gedachte van Aristoteles, dat achter de ogenschijnlijk chaotische verschijningsvorm der dingen een fundamentele orde schuilging. Zou men de wetten daarvan opsporen, dan kon men de wereld rationeel verklaren en beheren. Dit verheven idee leidde vaak tot praktische toepassingen. Wiskunde voorzag in de behoeften van handel en landmeten. Astronomie hielp evenzeer bij het vaststellen van gebedstijden en de data van de ramadan, als bij het bepalen van de koers op zee. De interesse voor de buitenwereld kwam tot uiting in cartografie en in ontdekkingsreizen, zoals die van Ibn Battoeta in de veertiende eeuw. Ook introduceerden de Arabische wetenschappers de cijfers die wij nog gebruiken en die we Arabische cijfers noemen. Die hadden zij overgenomen uit India. Zij voegden er het getal nul aan toe. Gebruik van dit cijfersysteem was van nut voor de ontwikkeling van algebra, en die weer voor sterrenkunde.

Ook in scheikunde en natuurkunde blonken de moslims uit, maar vooral in de medische wetenschap. Een van de grootste geleerden was de Pers Razi (865-925), die onder meer de artsen in staat stelde de symptomen van de pokken te onderkennen en deze ziekte te genezen. Hij stelde een monumentale encyclopedie van de geneeskunst samen. Zijn roem werd overvleugeld door die van Ibn Sina, beter bekend onder zijn Latijnse naam Avicenna, de 'prins der wijsgeren' (980-1037), die in zijn *Compendium der Medicijnen* zeer gedetailleerd allerlei ziektes beschreef. Dit handboek was tot de zeventiende eeuw het belangrijkste werk van de Europese geneeskunde. Bezoekers van het Bagdad der Abbasiden konden het hoge aanzien van de geneeskunst aflezen aan de grote ziekenhuizen, laboratoria, badinrichtingen en dieetkeukens. Er werden operaties onder narcose verricht. Artsen werkten met honderden leergierigen en studenten die het staatsdiploma voor arts wilden behalen. Er bevonden zich apotheken en geneesmiddelendepots, de eerste ter wereld. In Bagdad waren meer dan duizend huizen, waarin geneesheren hun praktijk uitoefenden. Voor geesteszieken waren er speciale inrichtingen. Arabische artsen begrepen als eersten dat de pest zich verspreidde door middel van bacteriën, en hoe belangrijk een gezond dieet, frisse lucht en lichaamsbeweging waren voor de mens.

Kruisvaarders, Mongolen en Turken: de ondergang van het Arabische Rijk

Het Arabische Rijk werd op den duur van diverse kanten aangevallen, vanuit Centraal-Azië en vanuit het christelijke Europa. Mede door interne verdeeldheid konden de Arabische heersers de vijanden niet op afstand houden. Vanaf de tiende eeuw was het gezag van de kaliefen van Bagdad al tanende. Het kalifaat werd steeds meer een symbolisch instituut, terwijl de werkelijke heerschappij toeviel aan regionale bestuurders.

Tussen 1100 en 1300 werd er vanuit West-Europa een aantal kruistochten ondernomen, met als doel het 'heilig land' (Jeruzalem en omgeving) te bevrijden van de islam en de christelijke pelgrims vrij baan te verschaffen. De stoot tot de kruistochten werd gegeven toen deze bedevaartgangers werden lastiggevallen door een volk dat zich recentelijk in het Midden-Oosten had gevestigd, de Turkse Seldjoeken. Samen met andere uit Centraal-Azië gearriveerde Turkse stammen namen de Seldjoeken bezit van Iran en de zuidkant van de Kaukasus. In 1071 bezorgden zij het Byzantijnse leger een nederlaag en stroomden zij Anatolië binnen. Het Seldjoekse Rijk hield niet lang stand. Het viel uiteen in kleine staatjes.

De oproep tot de eerste kruistocht viel samen met dit moment van zwakte door de verbrokkelde macht in de moslimwereld. In 1095 riep paus Urbanus 11 de Europese christenen op ter kruisvaart. Hij vond veel weerklank. Duizenden Europeanen meldden zich. Niet alleen uit godsvrucht, ook uit zucht naar avontuur en buit. In 1099 bereikte een Europees ridderleger Jeruzalem, dat na een maandenlang beleg werd veroverd. Moslims en joden werden er toen massaal over de kling gejaagd.

De kruistochten hadden slechts tijdelijk succes. Er werden vier kruisvaarderstaatjes gesticht aan de oostkust van de Middellandse Zee: Jeruzalem, Edessa, Antiochië en Tripoli. Het binnenland lieten de christenen aan de Seldjoeken. Reeds in 1187 werd Jeruzalem heroverd door Saladin, de Koerdische sultan (heerser) van Egypte, die het Fatimidische bewind van Caïro had vervangen door zijn alleenheerschappij. Slechts door het uiteenvallen na zijn dood van zijn Syrisch-Egyptische Rijk konden de kruisvaarders hun kwijnende bestaan in het Midden-Oosten nog rekken tot eind dertiende eeuw.

Ook het kalifaat Cordoba werd door christelijke legers aangevallen. Vanuit het noorden veroverden die langzaam maar zeker het hele Iberisch schiereiland, in wat een eeuwenlange worsteling bleek te zijn, de 'reconquista'. In 1492 viel het laatste moorse (islamitische) bolwerk, Granada.

Vanuit Azië werden de Arabieren aangevallen door een leger van het ruitervolk der Mongolen. Onder leiding van Djengis Khan waren die uit hun Aziatische steppengebied gebroken. Plunderend, moordend en verwoestend trokken de langharige Mongoolse ruiters in 1219 via Perzië de islamitische wereld binnen. De dood van Djengis in 1227 zorgde voor een adempauze, maar halverwege de dertiende eeuw beheersten de Mongolen toch reeds heel Iran. In 1258 bestormden zij Bagdad. De stad werd geplunderd en in brand gestoken. Tot de duizenden slachtoffers behoorde ook de laatste kalief van de Abbasiden. Na vijf eeuwen bewind kwam zo een einde aan het huis Abbas en aan de centrale positie van Irak in de moslimwereld. Nooit zouden Bagdad en Irak die positie meer heroveren.

De val van Bagdad markeerde het eind van de bloeiperiode van de islam. Maar als effectief instituut bestond het kalifaat eigenlijk al lang niet meer. Moderne historici nuanceren de verwoestende gevolgen van de Mongoleninvasie. Egypte werd bijvoorbeeld nooit door de Mongolen veroverd. In 1260 versloegen de troepen van de Mamelukken, een nieuw Turks sultanaat dat vanuit Caïro regeerde, de Mongolen. Tot 1517 bleven de Mamelukken heer en meester in Egypte en het aangrenzende Syrië. Deze landstreek was door de Mongolen 'slechts' geplunderd, en ook Anatolië bleek alleen in geringe mate getroffen. Iran maakte in de post-Mongoolse periode juist een bloeiperiode door van de Perzische cultuur. Mongoolse khans (heersers) bezorgden Iran een betrekkelijke politieke stabiliteit. Na hun bekering tot de islam in 1295 lieten zij zelfs schitterende gebouwen neerzetten. Een tijdlang was er een langdurig conflict tussen de Egyptische Mamelukken en de Iraanse khans om de heerschappij in het Midden-Oosten. In 1323 sloten beide partijen vrede. Kort daarop was er een Mongoolse nastoot. In 1380 viel de Mongool Timoer Lenk Iran binnen. Hij plunderde India, nam Irak in en liep Syrië en Anatolië onder de voet. Pest, sprinkhanen en plunderende hordes bedoeïenen maakten zijn destructieve karwei af.

De Arabieren wisten zich niet te herstellen van de aanvallen. Hiervan maakte een ander volk dankbaar gebruik: de Turken. Vanuit Centraal-Azië waren die in de dertiende eeuw Klein-Azië binnengedrongen. Zij namen de islam over en bouwden een sterk leger op. Met dat leger veroverden zij de laatste resten van het Byzantijnse rijk: in 1453 viel de hoofdstad Constantinopel in hun handen. De Turken veroverden ook heel de Balkan, Noord-Afrika en het grootste deel van het Midden-Oosten.

De Arabische cultuur ging ten onder. Zij was eeuwenlang maatgevend geweest in een groot gebied, van Spanje tot Irak, en vormde intellectueel en materieel op een gegeven moment misschien wel de meest vernieuwende beschaving ter wereld. Na de kruistochten verplaatste het centrum van de beschaving zich echter naar Europa. De kruistochten waren het sein geweest voor de bloei van het Westen en luidden het einde in van de Arabische beschaving.

Met bitterheid herinnert men zich in de huidige Arabische wereld nog altijd de verloren gegane voorsprong. Men wijst daarbij veelvuldig op de funeste invloed van de kruistochten. Andere factoren, zoals de Mongoolse invasie, wogen zwaarder. Bovendien leed de Arabische beschaving al vóór de kruistochten aan bepaalde 'kwalen', zoals de onbekwaamheid om een stabiel bestuur op te zetten, een staat met wetten en regels. Ieder koninkrijk in de Arabische wereld werd met ondergang bedreigd zodra een heerser stierf. Er was geen rechtssysteem dat aan de onderdanen enige macht toekende. Arabieren weigerden zich tijdens de kruistochten open te stellen voor ideeën uit het Westen. De taal van de Franken (West-Europeanen) werd niet geleerd. De moslimwereld toonde zich onverschillig, defensief ten opzichte van andere beschavingen, en verzuimde om zich op tijd te moderniseren.

3 Het Ottomaanse Rijk 1300-1914

Toen het Ottomaanse Rijk zich tegen 1600 op zijn hoogtepunt bevond, had het een omvang bereikt die de wereld sinds het uiteenvallen van het Romeinse Rijk niet meer gezien had. Niet minder dan zes eeuwen lang wisten de sultans uit het huis Osman hun stempel te drukken op het Midden-Oosten, Zuidoost-Europa en de kusten van de Middellandse Zee.

De vorming van het Ottomaanse Rijk

Van oorsprong vormde de Ottomaanse staat een van de Turkse vorsten-dommetjes die na de komst van Seldjoeken en Turkse immigranten vanuit Centraal-Azië in Anatolië waren gevestigd. De oervader van de dynastie was een legendarische krijgsman die Osman of Oethman ge-noemd werd. Zijn rijkje lag in het noordwesten van Anatolië, vlak naast het Byzantijnse rijk. De eerste hoofdstad was Bursa, die in 1326 op de Byzantijnen werd buitgemaakt door Orhon, de zoon van Osman. Orhon sloeg eigen munten en bouwde zijn eigen moskee. Zijn onderdanen kwamen bekend te staan onder zijn familienaam, Osmanli's of Ottoma-nen. Die naam werkte als bindmiddel. Naarmate het rijk meer gebied veroverde, kon het beschikken over rijkere landbouwgronden en andere economische hulpbronnen. Een goedgeorganiseerd leger hanteerde nieuwe wapens en krijgstechnieken. In 1354 staken de Ottomaanse troepen de Dardanellen over. Zij versloegen de Serven en de Bulgaren. Rond 1400 onderwierpen de Ottomanen ook heel Anatolië. In de eerste helft van de vijftiende eeuw werden grote overwinningen behaald op Serven, Grieken en Hongaren. Ook een leger van kruisridders uit West-Europa moest in het stof bijten. Onder sultan Moerad 11, midden vijf-tiende eeuw, ontwikkelde zich een zeker Turks nationaal bewustzijn.

Dit kwam tot uiting in de literatuur, die het Ottomaanse huis koppelde aan nog veel oudere Turkse stammen.

Oorlog tegen de christenheid

Vanaf 1430 werden de gelederen van de Ottomaanse strijdkrachten versterkt door de rekrutering van jongens uit de christelijke bevolking van de Balkan voor krijgsdienst. Zij werden tot de islam bekeerd en traden toe tot het corps der janitsaren, dat bestond uit louter toegewijde, ascetische soldaten. Dit corps werd een gesloten en bevoorrechte organisatie, met veel macht en onderlinge solidariteit. Janitsaren kregen een meedogenloze training. Ze mochten niet trouwen en geen beroep uitoefenen zolang ze in actieve dienst waren. Lange tijd vormden zij de ruggengraat van de Ottomaanse strijdkrachten.

De janitsaren van Moerads opvolger, sultan Mehmed II, slaagden er in 1453 in, de stad Constantinopel in te nemen, na een beleg van zeven weken. De laatste Byzantijnse keizer Constantijn XI sneuvelde op de wallen van zijn stad. De Aya Sofia werd een moskee, compleet met een halve maan op het koepeldak en vier minaretten aan de hoeken. De verovering van Constantinopel, de verbindende schakel tussen oost en west, en al eeuwenlang de gedroomde prooi van de moslims, gaf aan de sultans een geweldig prestige. Zij riepen de stad, die later Istanbul zou gaan heten, uit tot nieuwe hoofdstad. Onder Ottomaanse heerschappij groeide de stad uit tot een metropool van 700.000 inwoners, rond 1600 de grootste stad van Europa.

De kruistochten waren verleden tijd, en nu was het moment aangebroken voor een nieuwe jihad. Dat drong tot velen in Europa door. De nadering van de islam bracht de christelijke wereld in acute staat van alarm. Tijdens het bewind van sultan Suleiman de Grote (ook wel de 'Prachtlievende' genoemd) tussen 1520 en 1566 bereikte de Ottomaanse macht een hoogtepunt. In 1526 hakten zijn troepen, in de slag bij Mohacs, het leger van Hongarije in de pan. De Hongaarse koning sneuvelde, en Hongarije werd ingenomen. Drie jaar later belegerden de Turken met een kwart miljoen man de stad Wenen. De stad innemen lukte net niet, maar de negatieve westerse beeldvorming over het Ottomaanse Rijk als 'de schrik

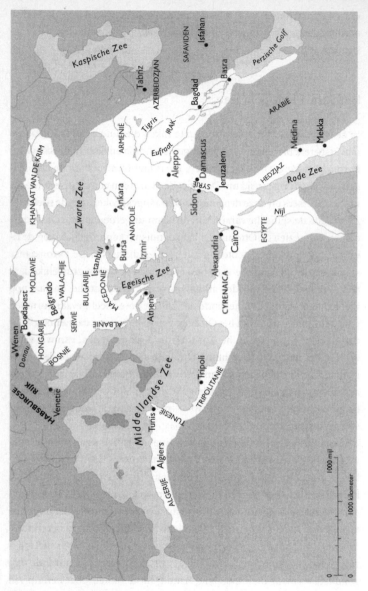

Het Ottomaanse Rijk eind zeventiende eeuw.

van de christenheid' was gevestigd. Ondertussen waren ook de Turkse oorlogsschepen begonnen om de kusten van de Middellandse Zee af te stropen.

Het Safavidenrijk in Iran

In de islamwereld waren er twee grote rijken die buiten het Ottomaanse machtsbereik bleven, dat van de Mogoels in India en dat van de Safaviden in Iran. Het Mogoelrijk lag ver weg, maar met Iran vochten de Ottomanen een langdurige strijd uit. De Safaviden vormden een rivaliserende dynastie. Heersers uit deze dynastie werden aangesproken met de titel sjah. Zij hadden de sjiitische variant van de islam uitgeroepen tot staatsgodsdienst. Aangezien de Ottomanen het soennisme aanhingen, kreeg de rivaliteit tussen beide machten een religieuze dimensie. De Ottomaanse sultan en de Safavidische sjah beschouwden elkaar als gruwelijke ketters. Het feit dat de Safaviden afkomstig waren van Anatolië, en daar nog veel aanhang hadden, betekende dat zij een potentieel gevaar vormden voor het voortbestaan van het Ottomaanse Rijk. Temeer daar er nog honderdduizenden sjiieten in het Ottomaanse Rijk woonden, van wie velen verlangend uitkeken naar hun bevrijding. Omgekeerd woonden er in Iran nog altijd miljoenen soennieten, wier loyaliteit aan de sjah twijfelachtig was. In beide landen vonden bloedige geloofsvervolgingen plaats, en het bloed der martelaren gaf weer injecties aan de wederzijdse haat- en angstgevoelens.

De sjahs van Iran hebben nooit definitief moeten buigen voor de overmacht van de Ottomaanse legers. Hun soldaten ronselden zij op soortgelijke wijze als de sultans dat deden: door christenen (uit de Kaukasus) krijgsgevangen te maken en te bekeren en op te leiden tot geduchte krijgers. Het slavenleger van de sjah beschikte over met musketten uitgeruste artillerie, toen een betrekkelijke nieuwigheid. Rond 1600 bereikte de Safavidische periode een hoogtepunt. Een sjah als Abbas de Grote (1587-1629) wist de commerciële rivaliteit tussen de Europese zeevarende mogendheden Portugal en Engeland handig uit te buiten. Met behulp van zijn vloot joeg hij samen met de Engelsen de Portugezen weg uit de havenstad Ormoez. Zijn nieuwe hoofdstad Isfahan zette hij vol met de prachtigste bouwwerken. Hij trok tal van wetenschappers en kunstenaars aan. Perzische tapijten, geschilderde miniaturen, poëzie en juridische verhandelingen getuigden van een zeer vruchtbare periode van islamitische bloei. Isfahan was ook een belangrijke handelsstad, die op het hoogtepunt misschien wel 400.000 inwoners telde. Pas in de achttiende eeuw zou de dynastie der Safaviden door rebellie ten onder gaan.

De Ottomaanse verovering van de Arabische wereld

In de bittere onderlinge strijd tussen de beide rivalen om het bezit van het tussenliggende Irak bleek het Ottomaanse leger het sterkste. In 1534 namen de Ottomanen de stad Bagdad in. In 1623 ging die stad weliswaar aan de Safaviden verloren, maar in 1638 kwam hij weer in Ottomaanse handen, om daarin te blijven tot 1918.

De Ottomanen waren toen al zuidwaarts getrokken, richting Syrië en Egypte. In 1516-1517 slaagden zij erin Syrië, Egypte en het westelijk deel van het Arabisch schiereiland te veroveren. Egypte was zo'n 250 jaar lang bestuurd geweest door Mamelukken, die in 1260 het kalifaat van Caïro hadden veroverd. De Mamelukken waren vrijgekochte slaven, oorspronkelijk afkomstig uit het gebied van de Zwarte Zee. De macht van het Mamelukse sultanaat over Egypte was na een bloeiperiode in de veertiende eeuw door verschillende oorzaken afgetakeld. De beslissende factor van hun ondergang vormden de vuurwapens van de Ottomanen. De bloem van het Mamelukse leger – zwaardvechters en boogschutters – bleek geen partij voor de Ottomaanse infanterie. In 1517 drongen de Ottomanen Caïro binnen, na een korte, felle oorlog. De troepen trokken eveneens in zuidelijke richting en ze wisten de heilige steden Mekka en Medina in te nemen. Dit verleende hun heersers nieuw prestige. Weldra wierpen zij zich op als nieuwe kaliefen en als de hoeders van de islamitische godsdienst. Een Rode-Zeevloot bevestigde de hegemonie van de sultan. Tot in Jemen toe reikte zijn macht.

Een sterke Ottomaanse vloot, primair gebouwd om de macht van Spanje te tarten, werd ook ingezet om steunpunten te verwerven in de Middellandse Zee. In de loop van de zestiende eeuw werden Algiers, Tripoli en Tunis gesticht. Ook op de eilanden Rhodos, Cyprus en Kreta kwam de Ottomaanse vlag te wapperen. Heel Noord-Afrika tot aan de grenzen van Marokko maakte deel uit van het rijk, en dat zou zo blijven tot in de negentiende eeuw, toen Fransen en Britten de aantrekkelijkste stukken kwamen afsnoepen.

De steunpilaren van het regime

Het Ottomaanse Rijk was nu een echt wereldrijk geworden. Als absolute heersers oefenden de sultans hun gezag uit. Tot 1600 kozen zij hun opvolgers uit een select groepje prinsen uit het huis Osman; was zo'n prins eenmaal de nieuwe sultan, dan liet hij al zijn broers doden. Na 1600 kwam er een eind aan die praktijk: vanaf toen ging het sultanaat doorgaans over op de oudste zoon. Net als de middeleeuwse Arabische kaliefen liet de Ottomaanse sultan zich bijstaan door vaste medewerkers: een grootvizier (een soort eerste minister) en een divaan (een raadscollege). De sultans werden geassisteerd door een groot en bekwaam ambtenarenapparaat. Dat zij eeuwenlang konden domineren, was te danken aan de erkenning van de regionale diversiteit van de wereld waarover zij de scepter zwaaiden. Het Ottomaanse Rijk was een typisch voorbeeld van een multi-etnische en multireligieuze samenleving. Om over zo'n allegaartje te kunnen blijven regeren, lieten de Ottomanen zich leiden door principes die voortkwamen uit een viertal bronnen. In de eerste plaats de traditie van heilige oorlog tegen de niet-moslims. In de tweede plaats de erfenis van de Arabische beschaving, inclusief de bestuurspraktijken van de Abbasidische kaliefen, de sharia en het beschermheerschap van de heilige plaatsen; het Arabisch bleef dan ook in gebruik. In de derde plaats een pragmatisch respect voor plaatselijke gewoonten en gebruiken; zolang de onderdanen belasting betaalden, werden zij betrekkelijk ongemoeid gelaten en efficiënt bestuur verdiende de voorkeur boven opgelegde uniformiteit. In de vierde plaats de verdeling van de maatschappij in regeerders en geregeerden; de heersende klasse genoot een vorm van belastingvrijdom en andere privileges, terwijl de massa moest ploeteren voor het dagelijks brood. Binnen de elite was er nog een speciale groep ontwikkelde individuen, die zich zagen als de echte Ottomanen. Zij verdeelden de staatsbaantjes onder elkaar en beschouwden zichzelf als de dragers van een nieuwe cultuur. Zij waren kosmopolitisch ingesteld en beheersten het Turks, Arabisch en Perzisch.

Het regime van de sultans werd eeuwenlang geschraagd door drie machtsinstituties. Een ervan was het leger. Dat bestond uit een goedgetrainde cavalerie, de 'sipahi's', die betaald werden uit de belastinginkomsten van de regio's waarin de afdelingen gelegerd waren, én uit de janitsaren, het meest gedrilde en geduchte onderdeel. De tweede pijler van de Ottomaanse macht was de bureaucratie, waarin volgens Byzantijnse, Iraanse en Arabische tradities een heel legertje schrijvers zorgvuldig de belastinginkomsten, benoemingen en andere zaken bijhield. Het derde machtsinstrument waren de ulema, ofwel de islamitische geestelijken. De leden daarvan legden de normen van de sharia op, spraken recht en waren verantwoordelijk voor de 'madrasa's', de koranscholen.

Er ontwikkelde zich zoiets als de kweek van een elite van slaven. Het systeem van rekrutering van christenjongens, toegepast bij de janitsaren, werd ook gebruikt om de staat te voorzien van commandanten en administrateurs. Veelbelovende jongelieden werden volgens dit zogenaamde *devshirme*-systeem aan het gezag van de ouders onttrokken, opgeleid in speciale scholen binnen het paleizencomplex van de vorsten om ze enkele jaren lang te trainen in Perzisch, Arabisch of Turks en allerhande technische en artistieke bekwaamheden. Uit hun rangen werden – zeker tussen 1450 en 1650 – de belangrijkste grootviziers, ambassadeurs, ministers en provinciebestuurders geselecteerd. Hun leven lang behielden zij officieel de status van slaaf van de sultan. Maar zij baadden in weelde, bezaten vaak zelf ook weer huisslaven en oefenden doorgaans grote macht uit. Hoezeer het devshirme-systeem ook valt te bekritiseren, het had het voordeel dat de nederigste dorpeling kon opklimmen tot grote hoogte in het staatsbestuur, en dat er goed gebruik werd gemaakt van het aanwezige talent.

Economie en maatschappij

Het Ottomaanse Rijk vormde een uitgestrekt handelsgebied. Personen en goederen konden zich tamelijk veilig verplaatsen langs wegen die door troepen werden beveiligd. Verreweg de meeste van de naar schatting twintig tot dertig miljoen inwoners leefden van de landbouw. De agrarische productie schijnt volgens de (overigens schaarse) bronnen gestegen te zijn gedurende de zestiende en zeventiende eeuw. Naast granen kwam ook rijst in productie. Om hun legers te kunnen betalen, legden de Ottomanen zware belastingen op. Die werden meestal opgehaald door plaatselijke belastingpachters, die een deel van de opbrengst in eigen zak mochten steken. Veel boeren vluchtten voor belastingophalers de bergen in, zodat landbouwgrond braak kwam te liggen.

Van groot economisch belang was de handel in nieuwe goederen, naast traditionele handelswaren zoals textiel. Tot begin zeventiende eeuw liep de specerijenhandel via Caïro. Perzische zijde werd via Anatolië naar Istanbul, Bursa of Aleppo gebracht. In de zestiende eeuw werd koffie geïntroduceerd en vanuit het Jemenitische Mocca naar Caïro, en dan verder naar de Middellandse Zee vervoerd. Vanuit Afrika werden slaven, goud en ivoor verhandeld. Vervoer van handelswaren geschiedde per schip of kameel. De kameel, al enkele millennia gedomesticeerd, bewees zijn waarde. Het beest kon 250 kilo dragen, 30 kilometer per dag afleggen en zeventien dagen zonder water.

De bevolking in de Arabische steden nam geleidelijk toe, dankzij de politieke stabiliteit en het uitblijven van epidemische ziektes. Caïro telde eind zeventiende eeuw zo'n 300.000 inwoners. Elke stad kreeg nieuwe moskeeën, scholen en openbare gebouwen. De orde werd er gehandhaafd door een politiemacht en door toezichthouders op de watervoorziening, brandveiligheid en stadsverlichting. De sultans lieten vooral de pleisterplaatsen opsieren op de bedevaartsweg die vanuit Istanbul via Anatolië en Syrië naar Mekka voerde. In Damascus verrees de Takiyyamoskee met uitgebreide ruimtes voor pelgrims. In Jeruzalem liet Suleiman de Prachtlievende de buitenmuren van de Koepel van de Rots fraai betegelen. De enige stad in het rijk die nauwelijks Ottomaanse invloed onderging was Bagdad, waar de oudere Perzische stijl toonaangevend bleef.

Het Ottomaanse Rijk vormde in religieus opzicht een rijkgeschakeerd mozaïek, waarin elke groep zijn plaats kende. De stad Istanbul bestond rond 1600 bijvoorbeeld voor 58 procent uit moslims, 32 procent uit christenen en 10 procent uit joden. In een periode waarin Europa verscheurd werd door godsdienstoorlogen tussen katholieken en protestanten, kenden christenen en joden in het Ottomaanse Rijk een betrekkelijk ruime mate van vrijheid. Zij mochten hun eigen zaken regelen en ongestoord allerlei beroepen uitoefenen.

Om redenen van tolerantie en van pragmatisme groeide in de loop der tijden het zogenaamde milletsysteem. Een millet was een religieus-politieke, semi-autonome gemeenschap bestaande uit leden van een bepaalde godsdienst. Elke millet bestuurde zichzelf, sprak recht, inde belastingen, had zijn eigen onderwijsinstellingen en sociale organisaties. De hoofden van de geloofsgemeenschappen zetelden in Istanbul, en waren verantwoording schuldig aan de sultan. In de praktijk was het milletstelsel minder uniform dan het op papier leek.

Er waren vier millets. De grootste was die der moslims. Daartoe behoorden mensen die Turks, Arabisch, Koerdisch en bepaalde Balkan- en Kaukasische talen spraken. De tweede was die van de Grieks-Orthodoxe kerk. Hiertoe behoorden etnische Grieken, Bulgaren, Serviërs en Roemenen, naast christelijke Arabieren en Turken. De functie van patriarch en andere hoge posten waren in handen van Grieken. Veel belangrijke economische en bestuurlijke functies werden door Grieken uitgeoefend. Bijna heel de interne handel was in hun handen. Ze leverden de 'dragomans', de vertalers van de sultans, omdat zij de enigen waren die buitenlandse talen spraken. De derde millet was die van de Armeniërs, een christelijke kerkgemeenschap met een eigen taal, die vanouds in Oost-Anatolië woonde. In de zeventiende eeuw hadden zij een handelsnetwerk in alle belangrijke steden in het rijk. Zij werden vooral rijk met de zijdehandel op Iran. Ze hadden een tijdje ook het munt- en bankwezen in handen en leverden architecten voor de paleizen van de sultans.

De vierde millet was die van de joden. Er waren grote groepen onder, die rond 1492 uit Spanje werden verdreven, de zogenaamde sefardische joden. De vluchtelingenstroom ging destijds dus van west naar oost, van de christelijke naar de islamitische wereld. De joden waren zeer welkom. De sultan was beslist niet vies van nieuwe, rijke onderdanen met een uitgebreid handelsnetwerk. In Saloniki ontwikkelde zich een rijk joods cultureel leven, compleet met drukpersen en bibliotheken. Oudere joodse gemeenschappen in Arabische steden als Bagdad, Alexandrië en Damascus hoorden ook tot deze millet.

Stagnatie en achteruitgang

In de loop van de zeventiende eeuw kwam er een eind aan de Ottomaanse expansie. Een keerpunt was het jaar 1683, toen de Turkse troepen een beleg sloegen voor Wenen. Het was de tweede en laatste maal dat zij Wenen belegerden, en opnieuw lukte het niet de stad in te nemen. In een gezamenlijke krachtsinspanning wisten de Europese legers deze bedreiging voor het christelijke Europa af te wenden. Het fiasco van de sultan was overduidelijk. Het duurde niet lang of de troepen van de Oostenrijkse keizer gingen in het offensief. Hongarije, Slovenië en Kroatië gingen verloren. In 1699 moest de Ottomaanse regering het verdrag van Karlowitz tekenen. Dit was de eerste maal dat zij zich gedwongen zag zulks te doen na een verloren oorlog.

Belangrijker nog dan de opkomst van Oostenrijk was die van Rusland. Begin achttiende eeuw drongen de troepen van tsaar Peter de Grote voor het eerst binnen in Ottomaans gebied, noordelijk van de Zwarte Zee. Later in die eeuw zegevierden de Russische legers op alle fronten. Russische marine-eskaders bedreigden zelfs de kusten van Anatolië en Syrië. In 1774 moesten de Ottomanen met tsarina Catharina de Grote het vernederende verdrag van Kütsjük Kainardji tekenen: de noordkust van de Zwarte Zee en het schiereiland de Krim gingen verloren. Dit was vooral een bittere pil, omdat dat oude woongebieden van de Turken waren. Rusland verwierf handelsvoorrechten op de Zwarte Zee en invloed in Moldavië en Walachije (in het tegenwoordige Roemenië). Russische schepen mochten vrij door de Bosporus en Dardanellen varen. Kort na 1800 drongen de Russen ook door in de Kaukasus.

Het Ottomaanse Rijk kwam in moeilijkheden. Er kwam geen oorlogsbuit meer binnen; naast belastingen was dit eeuwenlang de voornaamste bron van inkomsten geweest om de legers mee te betalen. Er vond ook een omkering plaats in de handelsbalans. Omdat Europese landen overgingen tot efficiëntere productiemethodes, en bovendien door het bezit van Amerikaanse koloniën goedkoop hun grondstoffen en voedingsmiddelen in konden slaan, raakte het Ottomaanse Rijk in een achterstandssituatie. De markt van het Midden-Oosten werd al spoedig overspoeld met goedkope import. Zelfs koffie, katoen en suiker, van oudsher inheemse producten, werden door westerse kooplieden naar het Midden-Oosten gebracht.

De westerse penetratie werd ondersteund door een systeem dat al vanaf de zestiende eeuw bestond: de 'capitulatiën'. Dit kwam erop neer dat westerse handelaren hun handelswaren vrij en onbeperkt in het rijk mochten invoeren en dat zij daarbij een aantal privileges genoten. Oorspronkelijk waren de capitulatiën bedoeld om buitenlandse investeerders te lokken; in toenemende mate echter trok het systeem de buitenlanders voor, tot schade van de inheemse handelaars. Op den duur konden de Europese landen ongegeneerd hun neus steken in allerlei interne aangelegenheden van het Ottomaanse Rijk. De lucratieve handel in Oost-Aziatische specerijen ging vanaf de zeventiende eeuw voortaan grotendeels aan de handelaren in het Midden-Oosten voorbij, vooral door toedoen van de Hollands-Zeeuwse Verenigde Oost-Indische Compagnie. De zeeroute langs Kaap de Goede Hoop bleek namelijk veel winstgevender. Ook de textielhandel vanuit Iran stagneerde. De Turken verloren daarnaast ook nog eens een groot deel van de Zwarte-Zeehandel.

Er manifesteerde zich ook een ernstige technologische achterstand ten opzichte van het Westen, vooral op het gebied van scheepsbouw en van bewapening. Langzamerhand wreekte zich het feit dat moslims lange tijd geen enkele neiging hadden vertoond naar het Westen te reizen om daar nieuwe ideeën op te doen. De Renaissance, de wetenschappelijke revolutie en de Verlichting leverden een vloedgolf aan nieuwe denkbeelden op, uitvindingen, praktische oplossingen, maar geen ervan kwam ook maar onder de aandacht van de Ottomaanse elite. Westerse talen waren in Istanbul net zo onbekend als westerse geschiedenis of cultuur. Alleen al het idee dat er iets van de ongelovigen geleerd kon worden, was voor velen ondenkbaar. Deze afwijzing van de prestaties van het Westen vormde een van de belangrijkste verschillen tussen het Midden-Oosten en andere delen van de wereld, zoals Japan of Zuidoost-Azië. In de moslimwereld kwam er na de Middeleeuwen vrijwel een eind aan onafhankelijk, empirisch onderzoek. Wetenschap werd teruggebracht tot een vaste verzameling overgeërfde en officieel goedgekeurde kennis. De rollen in de wereld waren nu omgekeerd. De Europeanen, ooit de leerlingen van de beroemde moslimwetenschappers, waren nu de leraren geworden, en de moslims onwillige leerlingen.

In de loop van de achttiende eeuw werd het Ottomaanse Rijk star en inefficiënt. De sultans misten vaak leiderscapaciteiten. De decadentie van het hof in het Topkapi-paleis te Istanbul bleek uit het al lang bestaande haremsysteem. Aanvankelijk waren Turkse vrouwen aan het hof relatief vrij en gerespecteerd. Naarmate de weelde zich ophoopte, werden zij van metgezellinnen tot luxe eigendommen van de sultan. Er was een overvloed aan slavinnen, waar een heel legertje harembeambten mee doende was. Zwakkere sultans werden meer en meer door haremintriges in beslag genomen. Op sommige momenten waren meer dan driehonderd koks vereist voor de maaltijden. Eunuchen (harembewakers) oefenden indirect vaak grote invloed uit op de sultan, die het zicht verloor op wat er zich in zijn rijk afspeelde.

Napoleon verovert Egypte

In 1798 arriveerde er in Egypte plotsklaps een Frans leger onder commando van generaal Napoleon Bonaparte. Zonder veel moeite wisten de Fransen de Ottomaanse provincie te bezetten. De expeditie was niet tegen de sultan gericht, maar tegen Frankrijks vijand Engeland, dat zo van het Aziatische deel van zijn imperium kon worden afgesneden. Reeds in 1801 moest het Franse leger zich terugtrekken, als gevolg van de verhoudingen in Europa.

De komst van de Fransen legde de vinger op de zere plek. Zij toonde aan hoe weerloos het Ottomaanse Rijk was, zelfs tegen een klein westers expeditieleger. De eens geduchte strijdmacht der janitsaren was verworden tot een geprivilegieerde, verwende groep, een mogelijke bedreiging voor de positie van de sultan en een sta-in-de-weg voor hervormingen. De ooit zo efficiënt werkende bureaucratie werd door corruptie en nepotisme ondermijnd. Regionale bestuurders verwierven steeds meer autonomie en trokken zich steeds minder aan van de belangen van de Ottomaanse staat.

Hervormingspogingen en de splijtzwam van het nationalisme

Na een eeuw van militaire nederlagen besloot sultan Selim III (1789-1807) dat het hoog tijd was voor een politiek van modernisering en hervorming. Zijn plannen waren gedeeltelijk geïnspireerd door de Franse Revolutie en kregen het etiket 'Nieuwe Orde'. Selim was ervan overtuigd dat van het Westen veel te leren viel. Hij gaf nieuwe regels aan het leger. Hij probeerde dit te moderniseren door de opleidingen aan te pakken en westerse, voornamelijk Franse instructeurs, aan te trekken. Dit zou het land weerbaarder maken tegen buitenlandse bedreigingen, maar ook tegen binnenlandse, namelijk de groeiende macht van provinciebestuurders. Selim vestigde ook ambassades in Wenen, Londen, Berlijn en Parijs. Het militaire establishment, met name het janitsarenkorps, moest echter niets van zijn hervormingen hebben. In 1807 werd Selim afgezet door een coalitie van janitsaren en ulema. In 1808 werd hij vermoord.

Ook Selims opvolger Mahmud II (1808-1839) wilde het centrale gezag versterken door de opbouw van een modern leger. Hij begreep dat de janitsaren het belangrijkste obstakel voor elke vernieuwing vormden. In 1826 rekende hij er dan ook rigoureus mee af. In één goedgeplande actie, later bekend als de 'Heilzame Gebeurtenis', liet hij duizenden janitsaren vermoorden, waarmee de rol van het corps voorgoed was uitgespeeld.

Zijn grote voorbeeld en tegelijk zijn gevaarlijkste uitdager was de Egyptische gouverneur, de uit Albanië afkomstige Mohammed Ali, die officieel slechts de vazal was van de sultan. Deze heerser voerde tussen 1805 en 1848 een semi-onafhankelijk bewind. Hij verbeterde leger en vloot van Egypte, nodigde buitenlandse adviseurs uit, stichtte scholen en moedigde Egyptenaren aan om in het Westen te gaan studeren. Hij installeerde in Caïro de eerste moslimdrukpers in de Arabische wereld, en liet vertalingen drukken van westerse kranten en leerboeken. De irrigatiewerken van de Nijl liet hij drastisch verbeteren. Bovendien introduceerde hij de katoenproductie, die later in de eeuw tot grote bloei zou komen. Het leger van Mohammed Ali was dermate goed gedrild, dat hij tot tweemaal toe de sultan op diens dringend verzoek van dienst kon zijn: eenmaal in een poging de Griekse opstand neer te slaan, en eenmaal bij het verslaan van de fanatieke wahabietensekte op het Arabisch schiereiland. Een tijdlang strekte zijn invloed zich zelfs uit tot in Syrië en Soedan. Na een gecombineerde militaire actie van de Ottomaanse strijdkrachten en de Britse Marine moest Mohammed Ali zich in het Verdrag van Londen (1841) weliswaar weer uit Syrië terugtrekken, maar tegelijk bedong hij dat het gouverneurschap van Egypte erfelijk werd. Zo stichtte hij feitelijk een koninklijke dynastie, die zou voortbestaan tot 1952.

De tweede belangrijke hervormingsperiode van het rijk in de negentiende eeuw (na die van Selim III) staat bekend als de periode van Reorganisatie of 'Tanzimat' (1839-1876). Eindelijk kreeg het bewind in Istanbul een open oog voor westerse verworvenheden. Doordat een speciale dienst veel westerse wetenschappelijke werken in het Turks ging vertalen, werd men zich scherper bewust van de Europese rijkdom en kracht. Het vertalen van boeken werd zelfs aangemoedigd. De Tanzimathervormingen betroffen het leger, de bureaucratie, de provinciale besturen, de belastingdienst, het seculier onderwijs door middel van een stelsel van staatsscholen, en de dienstplicht. Westerse missionarissen en zendelingen kregen bovendien toestemming scholen te stichten in provincies als Syrië, waar van oudsher veel christenen woonden. Moslims bekeren was nog steeds uit den boze, maar als de westerse katholieken probeerden zieltjes te winnen onder de oosters-orthodoxe christenen, had de overheid daartegen geen bezwaar. De bedoeling van dit alles was om – in een tijd van opkomend nationalisme in Europa – van alle onderdanen loyaliteit aan de Ottomaanse staat te verkrijgen, door de notie van Ottomaans staatsburgerschap aan te kweken en te versterken. Een groep jonge intellectuelen, de Jong-Ottomanen, werkte dit idee verder uit. Het vormde het Ottomaanse antwoord op het nationalisme, dat almaar terrein won.

Het probleem was namelijk, dat het rijk een lappendeken vormde van etnische groeperingen. In de negentiende eeuw werd het nationalisme van deze volkeren een splijtzwam voor multinationale staten als Oostenrijk en het Ottomaanse Rijk. De Grieken waren begin negentiende eeuw de eersten geweest die probeerden zich te bevrijden van het Ottomaanse juk. De Griekse opstand brak uit in 1821. Uiteindelijk werd Griekenland in 1830 zelfstandig, onder meer dankzij het ingrijpen van westerse mogendheden. Het landje telde nog maar 800.000 inwoners, terwijl er niet minder dan 2,4 miljoen Grieken onder Ottomaanse heerschappij bleven

leven. De voortdurende vijandschap tussen Athene en Istanbul komt mede hieruit voort.

Uit angst dat andere volkeren het Griekse voorbeeld zouden volgen, vaardigde de regering manifesten uit die de christenen gelijke rechten beloofden. Voortaan konden christenen en ook joden dienst nemen in het leger en stonden alle bestuursfuncties voor hen open. Zaken als speciale belastingen, kledingvoorschriften en bepalingen over kerkgebouwen en synagogen werden opgeheven. In 1876 kwam er een grondwet, die erg veel weg had van een proclamatie van Ottomaans burgerschap. Hierna konden de inwoners voor het eerst naar de stembus om een nieuw parlement te kiezen, waarin ook christenen afgevaardigd konden worden.

De kracht van het nationalisme was op de Balkan evenwel zo sterk, dat al die Tanzimatmaatregelen de christelijke naties daar niet afhielden van hun onafhankelijkheidsstreven. Deze werden hierin krachtig gestimuleerd door Europese grootmachten die ieder hun eigen expansionistische territoriale belangen koesterden.

Er was bovendien een heel andere ontwikkeling bezig. De legerhervormingen kostten handenvol geld. Om aan voldoende geld te komen moesten de Ottomaanse heersers geld lenen bij Europese bankiers. Zij kregen de noodzakelijke leningen, maar wel tegen woekerrente. Dit werkte nadelig uit. De schulden liepen onverantwoord op, en het kwam zo ver, dat het rijk financieel onder curatele van het Westen kwam te staan. De staat was feitelijk bankroet. In 1881 ontwierpen de Europese crediteuren een terugbetaalregeling, die een enorme last betekende voor het rijk. Het zou tot 1954 duren voordat de Turkse regering alle buitenlandse schulden had afbetaald.

De hervormingsmaatregelen pakten ook in andere opzichten anders uit dan was bedoeld. Turkse officieren maakten niet alleen kennis met westerse strijdmethodes, maar ook met westerse denkbeelden van vrijheid, gelijkheid, nationalisme en democratie. Die cocktail van ideeën bleek onweerstaanbaar. Daardoor groeide er een oppositie tegen het inefficiënte en corrupte regime. Toen de westerse missionarissen en zendelingen in de loop van de negentiende eeuw hun scholen stichtten, gingen zij niet in het Turks, maar in het Arabisch lesgeven. De Arabische taal, die eeuwenlang in de schaduw van het Turks stond, leefde op. Oude

Arabische geschriften werden herdrukt. De kranten en andere lectuur van de jezuïeten in Beiroet bereikten spoedig een gretige lezerskring. Het bewustzijn van een eigen, Arabische identiteit werd zo versterkt, en de kiem voor het Arabisch nationalisme was gelegd.

De zieke man van Europa

Na een oorlog tegen Rusland in 1877-1878, waarin Rusland en het Habsburgse Rijk diverse nationalistische groeperingen ondersteunden en zelf gebied veroverden, gingen Roemenië, Bulgarije, Servië, Montenegro, Bosnië-Herzegovina en Cyprus verloren. Hetzelfde gebeurde tijdens de Balkanoorlogen van 1912-1913. Toen slaagde Griekenland erin Thracië en Macedonië, gebieden die al vijfhonderd jaar tot het Ottomaanse Rijk hadden behoord en die een sterk gemengde bevolking hadden, te veroveren. Het nationalisme leidde dus uiteindelijk tot een totaal andere kaart van Zuidoost-Europa. Europees Turkije bestond alleen nog maar uit Istanbul, Edirne en directe omgeving.

Maar niet alleen de Balkan ging verloren, ook Noord-Afrika. Dit had evenwel een andere oorzaak: het modern imperialisme. Naarmate de negentiende eeuw vorderde, vertoonden Europese mogendheden als Groot-Brittannië en Frankrijk steeds meer expansiedrang. Zij waren op zoek naar grondstofgebieden en afzetmarkten voor hun groeiende industrie, nieuwe investeringsmogelijkheden voor hun kapitaal, en emigratiemogelijkheden voor de eigen bevolking.

In 1869 vond de opening van het Suezkanaal plaats. De realisatie van het kanaal betekende een enorme toename van het strategisch belang van de hele regio. Sinds 1858 was daaraan gewerkt onder leiding van de Fransman Ferdinand de Lesseps. De khedive van Egypte, Ismail (1863-1879) stond er vierkant achter. Hij toonde zich een hervormer in de geest van zijn grootvader Mohammed Ali. Zijn ideaal was om van Egypte een modern land te maken met een Europese allure. Hij liet spoorwegen, kanalen en telegraafkabels aanleggen. Het bebouwbare land nam met 30 procent toe. Vele scholen werden geopend. Er kwamen westers ingestelde gerechtshoven, die de traditionele islamitische sharia vervingen door de Franse 'code civil'. Van de sultan kreeg Ismail toestemming zijn leger uit te breiden en een eigen munt in te voeren. De havenstad Alexandrië groeide uit tot een van de levendigste van de oostelijke Middellandse Zee. Delen van Caïro veranderden in quasi-Parijse wijken, compleet met tramrails en fonteinen. Veel Europeanen kwamen in Egypte hun geluk beproeven.

Het feest ter gelegenheid van de opening van het Suezkanaal in 1869 werd een waar spektakel met veel Europese royalty. Ismails uitgaven aan het kanaal en de overige ambitieuze hervormingen en bouwprojecten kostten de schatkist handenvol geld. Belastingen waren niet toereikend om de kosten te dekken. Ismail gaf daarom staatsleningen uit. Hierdoor stak hij zich tot over zijn oren in de schulden. Ten slotte bood hij zijn persoonlijke aandelenpakket van de Suezkanaalmaatschappij te koop aan. De Franse regering was danig verzwakt door de Frans-Duitse oorlog (1870-1871) en had geen interesse, maar de Britse premier Benjamin Disraeli rook zijn kans en kocht de aandelen in 1875. De vitale route Londen-Bombay, de 'navelstreng van het Britse wereldrijk', was immers met 8000 kilometer bekort. 80 procent van de schepen die langs Suez voeren waren Brits. Vanaf toen wapperde trots de Britse vlag aan het Suezkanaal.

In 1882 braken er in Alexandrië antiwesterse rellen uit. De Britse regering gaf de marine opdracht de stad te bombarderen, en korte tijd later gingen er Britse troepen aan wal die de revolte de kop indrukten. Deze invasie luidde een bezettingsperiode in die feitelijk zou duren tot 1956. Hoewel Egypte theoretisch nog altijd een autonome provincie van het Ottomaanse Rijk was, werd het een Brits protectoraat. Het beleid van de Britse bestuurders was erop gericht de landbouwopbrengst te vermeerderen en de infrastructuur te verbeteren. Er werden successen mee geboekt, maar het gevoel door een vreemde macht gedomineerd te worden, en de ergernis over de hoge salarissen en de arrogante houding van de nieuwe meesters, wekten bij veel Egyptenaren onderhuids verzet.

Groot-Brittannië veroverde ook Cyprus (1878) en Soedan (1898). En het maakte zich meester van enkele steunpunten aan de Rode Zee en de Perzische Golf. Aden werd al in 1839 ingenomen. Er volgden verdragen met enkele Arabische sjeikdommen in de Perzische Golf, zoals Bahrein (1880), Maskate (1891) en Koeweit (1899). Stuk voor stuk waren het steunpunten voor de Britse schepen van en naar India. Zo nestelde wereldmacht nummer één zich stevig in het Midden-Oosten.

Frankrijk plantte zijn vlag intussen in de Maghreb, de Noord-Afrikaanse kustprovincies van het Ottomaanse Rijk. Het maakte zich reeds in 1830 meester van Algerije. In 1881 legden de Fransen beslag op Tunesië en in 1912 op Marokko. Bovendien begon Frankrijk zich op te werpen als verdediger van christelijke minderheden in Syrië en Libanon. Ook Italië kwam delen in de buit. In 1911 bezette het de Noord-Afrikaanse provincie Libië, en maakte er een Italiaanse kolonie van. Hiermee was heel Noord-Afrika buiten de macht van Istanbul komen te liggen. De sultan was zo kwaad over het Britse opdringen in Egypte, dat hij de Duitse keizer Wilhelm II uitnodigde; tweemaal bezocht deze het Midden-Oosten. Na zijn bezoek in 1898 kwamen Duitse officieren het Ottomaanse leger reorganiseren. Ook stond de sultan toe dat Duitse firma's begonnen met de aanleg van de Berlijn-Bagdadspoorweg, die een symbool was van de Duitse 'Drang nach Osten'.

Het verlies van de Balkan en Noord-Afrika betekende een ernstige amputatie van het grondgebied van het Ottomaanse Rijk. Omstreeks 1880 was het rijk, betiteld als 'de zieke man van Europa', politiek en economisch vrijwel in handen gevallen van Europese mogendheden. Banken, fabrieken, scheepvaartondernemingen, havens, wegen, zelfs de post en de douane werden met westers kapitaal opgericht en onderhouden. •

De Jong-Turken grijpen de macht

Abdul Hamid II (1876-1909) was de laatste sultan die nog echt gezag uitoefende. In 1878 stelde hij de grondwet buiten werking. Die was maar twee jaar van kracht geweest. Abdul Hamid benadrukte het islamitische karakter van de staat, en riep zich uit tot kalief en verdediger van moslims over de gehele wereld. Hij omarmde een panislamitische doctrine, die heel de moslimwereld als één geheel beschouwde. Door met de jihad te dreigen, wilde hij het westers imperialisme in Azië ondermijnen. Tegelijk dacht hij zich zo te verzekeren van de trouw van de Arabische inwoners van zijn rijk. Veel welgestelde moslimfamilies in het Midden-Oosten zagen hun kans schoon om lucratieve posten in het Ottomaanse bestuur te bemachtigen.

Tegelijkertijd groeide er ook een Turks nationalisme dat zich concentreerde op de Turkssprekende bevolking in het schiereiland Anatolië. Een van de belangrijkste theoretici was Ziya Gökalp. Hij was voorstander van hervormingen naar westers voorbeeld, maar dan wel met een nationalistische kleur. De etnische Turken moesten hun eigen aard ontdekken. Gökalp keerde zich af van het multi-etnische karakter van de Ottomaanse staat, en riep de Turkssprekende intellectuelen op het voortouw te nemen en een nieuwe Turkse natie te stichten. Waar hij voor pleitte, kwam bekend te staan als politiek van 'turkificatie'.

De boodschap werd opgepikt door officieren van het Ottomaanse leger, die zich al heel lang ergerden aan het verval van het hof en het afkalven van het rijk. Zij verenigden zich in een geheim genootschap, het Comité van Eenheid en Vooruitgang, bijgenaamd de Jong-Turken. Zij stelden zich ten doel: modernisering van de staat, een parlementaire democratie, herstel van de grondwet van 1876 en afschaffing van voorrechten voor groepen buitenlanders (zoals Engelsen, Fransen en Duitsers). Ze werden geïnspireerd door het voorbeeld van Japan, dat zich eind negentiende eeuw in rap tempo had gemoderniseerd, en dat in 1905 een klinkende militaire overwinning behaalde op Rusland. De Jong-Turken waren nationalistische officieren, echte patriotten met een gepeperde haat tegen de Europese opdringerigheid en overheersing; tegelijk bewonderden zij de westerse techniek en vooruitgang. Hun standpunten werden gedeeld door Turkse intellectuelen die in ballingschap leefden in Europa.

In 1908 pleegde deze groep officieren een staatsgreep. Sultan Abdul Hamid II beschikte niet over loyale troepen en capituleerde. Hij moest akkoord gaan met het kortwieken van zijn macht door het herstel van de grondwet. Binnen een jaar werd hij na een poging tot contrarevolutie vervangen door zijn kleurloze broer Mehmed V, die verder voor spek en bonen op de troon zat. De Jong-Turken namen de macht geheel over. Spoedig hierna liep het mis. Er kwam een militair driemanschap aan de macht, dat in het streven naar centralisatie geen pardon kende voor de oude orde. In plaats van een gemoderniseerde staat, creëerden de nieuwe heersers een militaire dictatuur. Op arrogante, chauvinistische wijze onderdrukten zij verzet van nationalistische groeperingen zoals van Albanezen en Armeniërs, die in actie kwamen tegen wat zij ervoeren als een harde politiek van turkificatie.

Het Arabisch nationalisme ontwaakt

De Arabieren vormden de omvangrijkste etnische groepering binnen het Ottomaanse Rijk. De Jong-Turken gingen in hun centralisatiestreven over tot het zuiveren van de rangen van de ambtenaren in de Arabische provincies. Velen die met Abdul Hamid hadden samengewerkt, kregen ontslag. Enkele aanzienlijke families verloren hun grondbezit en de leden werden in ballingschap gedreven. Voor veel Arabieren was dit alles onverdraaglijk. Gefrustreerd begonnen leden van de Arabische bovenlaag alternatieven te overwegen. Er ontwaakte een Arabisch zelfbewustzijn, ook wel aangeduid als 'arabisme'.

De Arabische taal kende een opleving, mede door toedoen van missionarissen. Andere factoren waren evenzeer bevorderlijk voor het Arabisch ontwaken. Tussen 1900 en 1908 hadden Duitse ingenieurs, nog op verzoek van Abdul Hamid 11, een spoorweg aangelegd van Damascus naar Medina, om het islamitische engagement van de sultan uit te drukken en zo de trouw van zijn Arabische onderdanen te kopen. Als nieuwe weg door het hart van Arabië, bevorderden deze rails onbedoeld het bewustwordingsproces onder de Arabieren, al was het maar omdat er nieuwe militaire trainingskampen in deze streken werden gevestigd. Hier trainden Duitse officieren de toekomstige leiders van de Arabische opstand in moderne krijgstechnieken.

Tegelijk groeide in Libanon een illegale Arabische beweging die de bevolking aanspoorde tot haat tegen de Turken. De leiders weken uit naar Frankrijk, waar zij in 1905 een 'Ligue de la Patrie Arabie' stichtten. Weldra kwamen er op diverse plaatsen nationalistische genootschappen tot stand, al dan niet vermomd als literaire clubs. Het ontwaken van een Arabisch nationaal bewustzijn viel af te lezen aan een spectaculaire toename van het aantal kranten in de tien jaar voor het uitbreken van de Eerste Wereldoorlog. Verschenen er in 1904 in Libanon 29 kranten, in 1914 waren dat er al 168. In Syrië steeg het aantal van 3 naar 87, in Irak van 2 naar 70. Dit duidde op een groeiend maatschappelijk-politiek engagement van de Arabieren. Veel van die krantjes werden in het buitenland gedrukt en via de westerse postdiensten geïmporteerd. Westerse mogendheden zagen dit als een doeltreffend middel om het Ottomaanse Rijk van binnenuit te verzwakken.

In 1913 vond in Parijs een Arabisch congres plaats, dat overigens zeer gematigde eisen van autonomie formuleerde. De Arabische beweging stond nog duidelijk in de kinderschoenen. Zij was een zaak van de hogere maatschappelijke milieus, en absoluut niet geworteld in de volksmassa's die vooralsnog geen enkele neiging tot opstand of verzet vertoonden. Bovendien werkten veel leden van de Arabische bovenlaag loyaal mee aan diverse Jong-Turkse maatregelen.

De Eerste Wereldoorlog zou het Arabisch nationalisme activeren, al viel dat tot 1914 absoluut niet te voorspellen.

4 Onder beheer van Britten en Fransen 1914-1948

De Eerste Wereldoorlog (1914-1918) wordt door historici wel de moeder-catastrofe van de twintigste eeuw genoemd. Niet alleen sneuvelden er miljoenen soldaten op de killingfields van Vlaanderen, Noord-Frankrijk, het oostfront en elders. De oorlog bleek ook de kraamkamer van politiek onheil dat zijn schaduw zou werpen over de eeuw: de wrokgevoelens over onrechtvaardige vredesverdragen die een volgende wereldoorlog zouden genereren, de opkomst van fascisme en nationaal-socialisme, de machtsverovering van de communisten in Rusland die later zou leiden tot de Koude Oorlog en de bewapeningswedloop tussen Oost en West. Niet in de laatste plaats waren er de implicaties van de ontbinding van het Ottomaanse Rijk in het Midden-Oosten.

De Eerste Wereldoorlog betekende voor het Midden-Oosten een echt breukvlak. Het Westen nam het gebied onder beheer, er kwamen nieuwe staten, het belang van de olie werd evident, en Palestina werd een natio-naal tehuis voor joden.

Turkije in oorlog

In oktober 1914, twee maanden na het uitbreken van de gevechten in Eu-ropa, koos het Ottomaanse Rijk de kant van de centrale mogendheden Duitsland en Oostenrijk-Hongarije. Zo kwam het in oorlog met Rusland, Frankrijk en Groot-Brittannië. De machthebbers in Istanbul, de Jong-Turken van het Comité voor Eenheid en Vooruitgang, droomden ervan de Turkssprekende minderheden in het tsaristische Rusland te bevrijden. Bovendien zouden bij een Duitse overwinning de Britten gemakkelijk uit Egypte verdreven kunnen worden. Voor eens en altijd kon er worden af-gerekend met de gehate capitulatiën, die symbolen van buitenlandse overheersing. Een succesvolle oorlog zou daarnaast het eenheidsgevoel

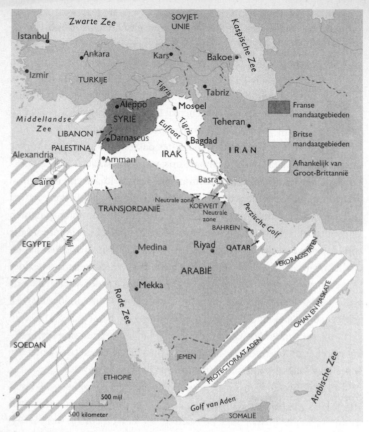

Het Midden-Oosten na de Eerste Wereldoorlog.

binnen het Turkse Rijk verstevigen en het geschonden imago van de machthebbers opvijzelen. Sultan Mehmed V riep in zijn hoedanigheid van kalief alle moslims ter wereld – speciaal die in het Britse Rijk en in Rusland – op tot de jihad tegen het Westen.

Meer dan een miljoen Ottomaanse soldaten werden er in deze oorlog op de been gebracht. De Duitse generaal Liman von Sanders was al vanaf begin 1914 bezig de troepen op Pruisische wijze te drillen. De verwachtingen waren hooggespannen. Maar het pakte anders uit. Een Turkse aanval op het Suezkanaal in januari 1915 werd afgeslagen. In de Kaukasus en Oost-Anatolië, waar de Ottomaanse en de Russische troepen in voortdurende gevechten waren gewikkeld, gingen de Turken in het offensief, maar al in 1915 leden zij zware verliezen. Kort daarop namen de machthebbers wraak op de Armeniërs, een etnische minderheid die zij wantrouwden als mogelijke helpers van de Russen. Er dienden namelijk Armeense vrijwilligers in het leger van de tsaar. De regering besloot de hele bevolkingsgroep uit Zuid- en Oost-Anatolië te deporteren naar de Syrische woestijn. Deze evacuatie ontaardde in een ware dodenmars, en gaf het sein voor een orgie van massaslachtingen. Tussen de 600.000 en één miljoen Armeniërs vonden de dood, en in latere jaren nog eens ettelijke honderdduizenden. De Turkse minister Talaat sprak: 'De Armeense kwestie is voor de komende vijftig jaar opgelost!'

De wereld kon toen nog niet geloven dat een dergelijke volkerenmoord in de twintigste eeuw mogelijk was. Tot op de dag van vandaag is er interpretatieverschil met betrekking tot het bloedbad van de Armeniërs. Volgens de officiële Turkse lezing ging het om een betreurenswaardig bijverschijnsel van een onoverzichtelijke oorlogssituatie, maar volgens de Armeniërs was het een doelgerichte genocide.

Maar ook het Arabisch nationalisme werd fel bestreden. In augustus 1915 liet de Turkse commandant Jamal Pasha, bijgenaamd de 'Bloedvergieter', in Beiroet elf Arabische nationalisten in het openbaar executeren op beschuldiging van landverraad. Later werden er in Damascus en Beiroet nog eens 21 veroordeelden op soortgelijke wijze terechtgesteld. Honderden Arabieren, van wie velen uit vooraanstaande families, werden vastgezet. Zo kreeg het arabisme zijn eigen martelaren, juist op het moment dat Groot-Brittannië de tijd rijp achtte de Arabische kaart voor eigen doeleinden te gaan uitspelen. Het gevolg van de executies was ook dat het arabisme aan het eind van de oorlog geen echte leidersfiguren had, in wat het uur van de waarheid zou blijken te zijn.

Dubbel spel van Groot-Brittannië

In 1915 liep een landingspoging van een expeditiemacht van 200.000 Britse en Franse soldaten op het schiereiland Gallipoli, bij de Dardanellen, uit op een bloedige mislukking. Zo goed was de Turkse defensie nog wel georganiseerd. Ook aan het andere uiteinde van het Ottomaanse Rijk, in het gebied van de Perzische Golf, gingen er Britse troepen aan land. Hun doel was de route naar India te beschermen en de olievelden van Iran te beheersen. Die laatste waren van vitaal belang, sinds in 1912 de Britse marine van steenkool op olie was overgeschakeld. De Brits-Indische troepen veroverden snel de havenstad Basra en van daaruit begaven zij zich op weg naar Bagdad, maar bij het dorp Kut leden ze in april 1916 een zware nederlaag. De hele troepenmacht moest zich aan de Ottomanen overgeven. Pas een jaar later zou een andere Britse strijdmacht alsnog Bagdad veroveren.

De Britse hoge commissaris in Caïro, sir Henry McMahon, had toen al besloten om de interne zwakte van het Turkse Rijk uit te buiten. Hij kwam in contact met een Arabische emir, de woestijnvorst Hoessein Ibn Ali. Deze was hoeder van de heilige plaatsen Mekka en Medina en als zodanig verantwoordelijk voor de jaarlijkse bedevaart. Hoessein beriep zich op directe afstamming van de profeet Mohammed en droeg dan ook de eervolle titel sjarief. Zijn familie heette Hasjem, de leden ervan hasjemieten. Hij was in 1908 aangesteld, nog door de oude sultan, en hij had weinig op met de Jong-Turken in Istanbul. Hij droomde van een eigen koninkrijk. In april 1915 schreef hij een brief aan McMahon met een voorstel tot samenwerking. Als contactman kwam een speciale afgezant van McMahon in het geweer, kapitein T.E. Lawrence, die beroemd is geworden als de legendarische Lawrence of Arabia. Voor de Britten was sjarief Hoessein een aantrekkelijke bondgenoot, omdat hij als machthebber van Mekka de Turkse oproep tot jihad ontkrachtte. Voor die oproep waren zij beducht, gezien de vele tientallen miljoenen moslimonderdanen in India en andere Britse bezittingen.

Begin 1916 kwam uit de Hoessein-McMahon-correspondentie een Brits-Arabische intentieverklaring voort tot gezamenlijke actie tegen de Turken. Hoesseins bedoeïenenlegers zouden samen met een Brits-Frans expeditiekorps vanuit het Arabisch schiereiland een aanval doen op de Turken. In ruil daarvoor ontving Hoessein van de Britse regering de belofte van erkenning van zijn toekomstig onafhankelijk koninkrijk in het gebied van het Arabisch schiereiland, Syrië en Irak. Wel maakten de Britten een voorbehoud voor het kustgebied van Syrië (inclusief het huidige Libanon) vanwege Franse belangen. Daarover zou later nog wel gesproken worden, net als over eventuele Britse aanwezigheid in delen van Irak. De afspraken waren vaag: het uitzonderingsgebied werd omschreven als het gebied ten westen van een lijn tussen de steden Aleppo en Damascus. Palestina werd niet genoemd. Later beweerden de Britten dat ze die provincie óók beschouwden als deel van het uitzonderingsgebied van de kust van Syrië, hoewel zij ten zuiden en niet ten westen van Damascus lag.

Hoessein kwam zijn deel van de overeenkomst na. Hij liet zich door de Britten van de nodige wapens en voorraden voorzien, en in juni 1916 startte hij de Arabische opstand. Turkse garnizoenen in Mekka en Medina werden uitgeschakeld, en een opmars naar het noorden begon. Die stond onder commando van Hoesseins krijgshaftige zoon Feisal. Vele sjeiks vergaten hun onderlinge vetes en sloten zich aan. Diversen lieten zich, al dan niet omgekocht met Britse wapens en ponden, vermurwen door Lawrence of Arabia. Sjarief Hoessein stelde zijn zegetocht voor als een heilige strijd tegen de goddeloze heersers in Istanbul, en voor herstel van oude moslimwaarden; hij deed echter geen appèl op gevoelens van Arabisch nationalisme. Steun van de massa's kreeg hij niet, en veel leden van de Arabische elites in de te bevrijden provincies beschouwden hem als een overloper. Ook de Britten kwamen in actie. Hun troepen wisten samen met de Arabische legers Akaba, Jeruzalem en Damascus in te nemen. Veel Arabische soldaten uit het gedemoraliseerde leger van de sultan kozen toen pas hun zijde. In 1918, in het uur van triomf, ontmoetten de Britse en Arabische troepen massale bijval van de bevolking, als bevrijders van het Turkse juk.

Maar de Britten hadden hun eigen plannen met het Midden-Oosten, evenals de Fransen. Het gebied bleek té rijk aan olievoorraden en lag té strategisch, om het aan een ouderwetse emir als Hoessein cadeau te doen. Bovendien waren er de christelijke minderheden in Syrië die bescherming verdienden en die al tientallen jaren het werkterrein vormden van Franse missiecongregaties. Om die redenen sloten de Britten en de Fransen, achter de rug van de Arabieren om, in mei 1916 de zogenaamde Sykes-Picot-overeenkomst. Sykes en Picot waren hoge diplomaten van respectievelijk Groot-Brittannië en Frankrijk. Ze spraken af dat beide landen samen het Midden-Oosten onder hun hoede zouden nemen. Het was een geheime afspraak, in de vertrouwde negentiende-eeuwse stijl van het modern imperialisme. Frankrijk zou een invloedssfeer krijgen in Syrië en Libanon, en Engeland een landverbinding tussen de Middellandse Zee en de Perzische Golf, ongeveer het gebied van Palestina tot en met Irak. Die invloedssferen zouden zich uitstrekken tot diep in het gebied dat McMahon even tevoren aan Hoessein had beloofd. Toen Hoessein in 1918 lucht kreeg van de Sykes-Picot-overeenkomst, vroeg hij direct om opheldering, maar hij kreeg een misleidend antwoord.

Omstreeks dezelfde tijd stelde Groot-Brittannië de Arabieren nog voor een ander voldongen feit: de Balfourverklaring.

Het zionisme en de Balfourverklaring

Op 2 november 1917 zond de Britse minister van Buitenlandse Zaken James Balfour een brief aan de Zionistische Wereldorganisatie. Hij verklaarde dat de Britse regering welwillend stond tegenover de vestiging van een joods nationaal tehuis in Palestina. De repercussies van deze brief – vijf oorlogen, tienduizenden doden, een miljoen vluchtelingen, spanningen tussen supermachten – zouden pas decennia later in volle omvang blijken. In 1917 ging het 'gewoon' om een van de vele Britse zetten op het politieke schaakbord van de Eerste Wereldoorlog.

Met deze Balfourverklaring kwamen de Britten tegemoet aan de wensen van de zionistische beweging. Het zionisme was in de negentiende eeuw ontstaan. In Europese landen, met name Rusland en Polen, de belangrijkste centra van de joodse diaspora, vonden toen bloedige jodenvervolgingen plaats. De laatste twee Russische tsaren moedigden deze pogroms (uitbarstingen van jodenhaat) vaak aan, want zij vonden die een welkome bliksemafleider voor de ontevredenheid van het volk over beroerde sociaal-economische toestanden. Honderdduizenden Oost-Europese joden kozen omstreeks de eeuwwisseling voor immigratie naar de Verenigde Staten of Argentinië, maar er waren ook kleine aantallen joden die zich groepsgewijs vestigden in Palestina, nabij Jeruzalem ofwel 'Zion'. De eerste pioniers arriveerden er in 1882. In dat jaar schreef de zionist Leo Pinsker in zijn boek *Auto-Emanzipation* dat antisemitisme een ongeneeslijke volkspsychose was. Het joodse streven naar assimilatie en integratie bood geen afdoende bescherming; de enige oplossing was dat joden hun lot in eigen handen namen, door een eigen joodse staat te stichten.

De zionistische beweging bleef nog ongecoördineerd, tot het moment dat een joodse journalist uit Wenen, Theodor Herzl (1860-1904), in 1896 het boekje *Der Judenstaat* publiceerde. Als journalist had Herzl in Parijs het proces bijgewoond tegen de joodse kapitein Alfred Dreyfus, die ten onrechte van landverraad was beschuldigd. Herzl schrok toen van de omvang van het antisemitisme in een modern land als Frankrijk, en concludeerde dat alle joden verdoemd waren, tenzij ze beseften dat zij een volk waren met een eigen identiteit. Hij pleitte voor de oprichting van een joodse staat en maakte een blauwdruk voor een moderne, seculiere staat, 'Israël', compleet met autowegen, elektriciteit, vrouwenkiesrecht, en andere nieuwigheden. Het was een typisch utopische schets, zoals er in de negentiende eeuw wel meer waren ontworpen. Rijke joden zouden hun invloed aanwenden bij regeringen om het joodse vraagstuk in één keer op te lossen, in een gigantisch filantropisch project.

In 1897 werd op initiatief van Herzl te Bazel de Zionistische Wereldorganisatie opgericht, die de doeleinden formuleerde: een volkenrechtelijk erkend nationaal tehuis in Palestina, te vestigen rond Jeruzalem, op een plek die voor grote groepen joden aantrekkelijk genoeg was. Daar bevonden zich immers herinneringen aan het door God aan Mozes beloofde land, zoals de graven van de aartsvaders en de resten van de tempel van Salomon. Joodse gemeenschappen hadden in de diaspora eeuwenlang hun godsdienst als een 'draagbaar vaderland' gekoesterd, waarbij men bij elk paasfeest de wens uitsprak: 'Volgend jaar in Jeruzalem.'

Reeds in Bazel ontwierp Herzl een vlag – de gebedsdoek met een blauwe davidsster – en koos hij een volkslied – het *Hatikwa* – voor zijn toekomstige joodse staat. Bij de Turkse sultan Abdul Hamid II kregen de zionisten echter geen poot aan de grond. Die was niet gediend van het idee van groot-schalige vestigingen van Europese joden in het Ottomaanse Rijk; die zouden de wankele balans tussen de bevolkingsgroepen in zijn rijk maar verstoren. Veel geassimileerde joden in de Europese landen waren evenmin gecharmeerd van het zionisme; openlijk vertoon van joodse assertiviteit zou nog meer antisemitisme uitlokken, zo vreesden zij. Wel stimuleerde Herzls propaganda de reeds op gang gekomen spontane immigratie van groepen joden uit Oost-Europa. Na de eerste golf of *aliyah* (letterlijk: opgang naar Eretz Israël) van 1882 volgden er meer, doorgaans gefinancierd door rijke joden zoals de bankiersfamilie Rothschild uit Engeland. Zij kochten land op en stichtten landbouwgemeenschappen. Het zionisme hield er absoluut geen rekening mee, dat er in Palestina al honderdduizenden Arabieren woonden. Herzl sprak over Palestina als 'een land zonder volk voor een volk zonder land', een fataal misverstand.

Over de motieven van Groot-Brittannië om in 1917 de zionisten te steunen is veel geschreven. In regeringskringen bestond oprechte sympathie met de slachtoffers van antisemitisme. Van belang is de rol van Chaim Weizmann, een vooraanstaand zionist en chemicus, die de Britse regering van dienst was geweest bij de vervaardiging van synthetisch aceton, een onmisbare grondstof voor dynamiet. In zijn memoires schreef hij dat hij als dank van de Britse regering niets voor zichzelf wilde, maar wel iets voor zijn volk: een nationaal tehuis. Daarnaast zat de Britse regering midden in de Eerste Wereldoorlog dringend verlegen om geld; joodse bankiershuizen (als de Rothschilds) zouden tot gunstige leningsvoorwaarden bereid zijn indien de regering een gebaar maakte. Een andere factor was de overweging in Britse regeringskringen, dat zo'n gebaar vooraanstaande Amerikaanse en Russische joden ertoe zou brengen hun regeringen tot een grotere oorlogsinspanning te dwingen om Duitsland op de knieën te krijgen. Het is aannemelijk dat de Britten hun eigen imperiale ambities wilden verwezenlijken door middel van het zionisme. Een toekomstige joodse staat zou een mooie springplank vormen, als een westerse enclave in het strategisch belangrijke Midden-Oosten, in de nabijheid van het Suezkanaal, en tevens een blokkade voor eventuele Franse ambities in dit gebied.

De Balfourverklaring luidde kortweg:

Zijne majesteits regering is de stichting van een nationaal tehuis voor het jood-
se volk in Palestina gunstig gezind, en zal haar beste krachten geven om het
bereiken van dat doel te vergemakkelijken, waarbij duidelijk in het oog moet
worden gehouden dat er niets mag gebeuren dat de burgerlijke en godsdienstige
rechten van de bestaande niet-joodse gemeenschappen in Palestina of de rech-
ten en politieke status die de joden in andere landen genieten, aan zou kunnen
tasten...

Zij bevatte twee onverenigbare beloftes: de stichting van een joods nationaal tehuis, én het bewaren van de rechten van de 'niet-joodse gemeenschappen', lees: de Arabieren. Uit het gebruik van de term 'niet-joodse
gemeenschappen' voor de overgrote meerderheid autochtonen, bleek
wel hoe geringschattend de Britse houding was tegenover de Arabieren.

Zo legden de Britten de kiem voor het latere Israëlisch-Palestijnse
conflict. Maar dat was toen nog niet goed zichtbaar. Er werd niet gerept
van een joodse staat, slechts van een nationaal tehuis. Er was reden aan te
nemen dat joden en Arabieren vruchtbaar zouden kunnen samenwerken.
De Britten probeerden de Arabieren te verzoenen met de aan de joden
toegezegde immigratiemogelijkheid. In januari 1919 werd in een overeenkomst tussen Weizmann en Hoesseins zoon Feisal een joods-Arabische samenwerking afgesproken bij de ontwikkeling van Palestina. Feisal verbond hieraan echter wel de voorwaarde dat de Arabieren volledige
onafhankelijkheid zouden verkrijgen.

Die hoop werd weldra de bodem ingeslagen.

Het rampjaar 1920

Het eind van de Eerste Wereldoorlog bracht voor de Arabieren de grote
desillusie. Op de Parijse vredesconferentie van 1919 kreeg Feisal geen
poot aan de grond. Ook Lawrence of Arabia, die daar als Arabier verkleed
rondliep, merkte dat zijn rol (als verbindende schakel tussen Britten en
Arabieren) was uitgespeeld. De Franse premier Clemenceau, die ooit
sprak: 'één druppel olie is waardevoller dan een regiment soldaten', begreep de waarde van het Midden-Oosten, en wilde niets weten van Britse
beloftes aan Arabieren. Hij eiste onverkorte toepassing van de Sykes-

Picot-overeenkomst uit 1916. Aangezien prioriteit werd gegeven aan Europese vredesverdragen duurde het een jaar voordat een regeling voor het Midden-Oosten tot stand kwam. Pas in april 1920, op de conferentie van San Remo, kwamen Britten en Fransen tot volledige overeenstemming. Elke overweging om het principe van zelfbeschikkingsrecht serieus te respecteren (iets waarop de Amerikaanse president Woodrow Wilson had gehamerd), wuifden zij weg. De Arabische gebieden werden definitief losgescheurd van het Ottomaanse Rijk. Frankrijk kreeg het beheer over Syrië en Libanon; Groot-Brittannië over Palestina (waarvan het Transjordanië losmaakte) en Irak. Het verdrag erkende verder een onafhankelijke Armeense staat in Oost-Anatolië en de Kaukasus, en een semi-autonome status voor de gebieden waar het volk der Koerden woonde. Bovendien moest het Turkse leger worden ontmanteld, en werden delen van Turkije bezet door Italiaanse en Griekse troepen. De Dardanellen en de Bosporus kwamen onder internationaal beheer, evenals de Turkse staatsfinanciën. De gehate capitulatiën werden in ere hersteld. In augustus 1920 werd dit alles in het Verdrag van Sèvres tussen de geallieerden en Turkije bekrachtigd. Turkije moest wel tekenen, om niet nog meer te verliezen.

De voormalige Arabische delen van het rijk kregen nu de status van 'mandaatgebieden'. Een mandaat is een volmacht om een bepaald gebied te beheren. De Volkenbond, de organisatie die in 1919 werd opgericht om te waken over wereldvrede, kreeg het toezicht over deze gebieden, en Engeland en Frankrijk moesten als mandatarissen (beheerders) namens de Volkenbond de Arabieren opvoeden tot zelfbeschikking. De mandaatregeling was een typisch staaltje negentiende-eeuws imperialisme, zij het in een nieuwe verpakking.

Voor sjarief Hoessein en zijn zonen was deze uitkomst een bittere pil. Blijkbaar hadden zij in 1916 helemaal voor niets de kant van de Britten gekozen. Prins Feisal liet zich in maart 1920, dus nog vóór de conferentie van San Remo, in Damascus tot koning van Syrië uitroepen. Arabische nationalisten zagen al een wedergeboorte van het middeleeuwse Omayyadenrijk. Maar de Fransen kenden geen pardon. Hun troepen trokken Syrië binnen en al in juli 1920 bezetten zij Damascus. Feisal ging in ballingschap. Als troostprijs kreeg hij van de Engelsen in 1921 de troon van Irak aangeboden. Feisals oudere broer Abdoellah kreeg ook een functie uit handen van de Britten. Hij mocht emir worden van Transjordanië, het gebied ten oosten van de Jordaan dat in 1921 werd losgemaakt van Palestina. Om de Arabieren tegemoet te komen werd joodse immigratie hier taboe verklaard.

Zo probeerden de Britten nog iets van de McMahonbelofte uit 1916 gestand te doen: onder Britse supervisie mochten Hoesseins zonen koning spelen. Essentieel was echter, dat er geen groot Arabisch Rijk kwam, zoals aan de Arabieren was voorgespiegeld. Nationalistische Arabieren waren zwaar teleurgesteld en verbitterd. Voor hen was het jaar 1920 'Am al-nakba', het rampjaar. In het collectieve geheugen van de Arabieren werd dit begrip blijvend ingeprent als levend bewijs van de perverse politiek van het Westen. Woede richtte zich ook op Arabische leiders als Feisal en Abdoellah die meewerkten met de neokoloniale politiek van de Fransen en de Britten. Hierdoor radicaliseerde het Arabisch nationalisme.

Arabische gebieden onder Brits-Franse supervisie

De oorlog had het vitale belang voor de Britten aangetoond van hun supervisie over Egypte. Maar in november 1918 kwam een Egyptische delegatie (in het Arabisch: een *wafd*) verzoeken om onafhankelijkheid. De Britten wilden de Wafd niet als vertegenwoordigers van het Egyptische volk toelaten op de vredesconferenties. Daarop trokken de leiders alle steden van Egypte in om massaal ondersteuning van hun wensen te verkrijgen. De Britten dwongen de Wafd-leider Saad Zaghlul in ballingschap te gaan. Dit veroorzaakte in 1919 een massale volksopstand die de Britten bloedig onderdrukten: er vielen achthonderd doden. In 1922 verleenden de Britten onafhankelijkheid, maar wel op eigen condities. Egypte werd officieel een zelfstandig koninkrijk onder een nazaat van Mohammed Ali, maar de Britten hielden het beheer over het Suezkanaal en zeggenschap over defensie, buitenlandse economische belangen en minderheden. De Wafd-partij ging het land besturen, maar ondervond, onder meer doordat zij de macht van de Britten niet wist uit te schakelen en zelf tot corruptie verviel, toenemende oppositie. Een belangrijke rol speelde daarin vanaf 1928 de wijdvertakte fundamentalistische Moslim

Broederschap, die herinvoering van de sharia eiste. Zij telde tienduizenden leden die zich aangetrokken voelden door de roep om sociale verbeteringen op basis van de islam. De Moslim Broederschap stichtte scholen, medische centra en gaarkeukens voor de allerarmsten. In 1936 sloten de Britten, onder druk van Mussolini's opdringen in Oost-Afrika, een nieuw verdrag met Egypte, waarmee een eind kwam aan de bemoeienis met defensie, buitenlandse zakenbelangen en minderheden. Wel handhaafde Engeland zijn troepen aan het Suezkanaal.

Het Brits mandaat over Irak duurde van 1920 tot 1932. Het land was een samenvoeging van drie Ottomaanse provincies Mosoel, Bagdad en Basra en vormde allerminst een eenheid. Soennitische moslims bezetten de voornaamste posten, maar ruim de helft van de bevolking bestond uit sjiitische moslims; in het noorden huisde een grote Koerdische minderheid, en verder waren er minderheden van joden en van Assyrische christenen. Koning Feisal werd ingehuldigd terwijl de militaire kapel het 'God save the king' speelde: een volkslied ontbrak nog, evenals een ambtenarenapparaat, een onderwijssysteem en een leger. Feisal werkte nauw met de Britten en de voormalige Ottomaanse elites samen om uit het niets een Iraakse staat te smeden. In 1930 achtte Groot-Brittannië het land rijp voor zelfbestuur. De Britten behielden twee luchtmachtbases en het beheer over de olievelden die de Iraqi Petroleum Company sinds 1928 in exploitatie had. In 1932 werd het koninkrijk Irak lid van de Volkenbond.

Nog veel duidelijker dan Irak, was het mandaatgebied Transjordanië van Britse makelij. Het bestond grotendeels uit woestijn en er woonden slechts bedoeïenen. De hoofdstad Amman telde in 1921 niet meer dan vijfduizend inwoners. De belangrijkste taak van de hasjemitische emir Abdoellah was orde houden onder de nomadische bedoeïenenstammen, om de goede vrede met de Fransen in Syrië te handhaven. Zijn Arabische Legioen, onder bevel van de Britse kapitein John Glubb, moest verhinderen dat die nomaden invallen deden in dat mandaatgebied. Het Arabische Legioen zou decennialang de voornaamste pijler vormen onder Abdoellahs troon. Als dank voor diens trouw kreeg Transjordanië in 1946 onafhankelijkheid. Vanaf dat moment mocht Abdoellah zich koning noemen.

De vestiging van het Franse mandaatbestuur in Syrië ging niet zonder slag of stoot. Frankrijk speelde al tientallen jaren de rol van beschermheer van de Maronitische christenen, en had belangen in spoorwegen en havenactiviteiten. De meerderheid van moslims stond echter vanaf het begin vijandig tegen de nieuwe heersers, die absoluut geen haast maakten met de mandaatverplichting om de Arabieren op te voeden tot zelfbeschikking en staatsvorming. Integendeel, vanuit het oude adagium 'verdeel en heers' scheidden de Fransen Libanon af van Syrië, wat gunstig uitpakte voor de Maronitische christenen aldaar (Maronieten vormden een hecht georganiseerde kerkgemeenschap, onderhorig aan de paus maar met een eigen ritus). Ook de rest van Syrië werd in stukken verdeeld, elk onder een Franse gouverneur. De minderheden van Alawieten (een variant van het sjiisme) en Druzen (een dissidente sjiitische sekte) kregen aparte deelstaatjes, zodat het slechts zaak was de meerderheid van soennitische moslims te beheersen. Dit gebeurde met behulp van een uitgebreid ambtenarenapparaat, een veiligheidsdienst en een staand leger. In 1925 was er een grote opstand die met grof geweld werd onderdrukt. De Franse luchtmacht bombardeerde Damascus en er vielen in totaal zo'n zesduizend doden. Elk voorstel tot zelfbestuur werd vervolgens door de Franse autoriteiten getorpedeerd, zodat het land allerminst geleerd werd op eigen benen te staan.

Libanon werd kunstmatig samengesteld uit het Libanongebergte, het gebied ten zuiden daarvan, de kuststrook en de Bekaavallei. De Maronitische christenen vormden 30 procent van de bevolking. Velen van hen zagen Libanon als een christelijke enclave en een voorpost van de westerse beschaving; zij keken neer op de moslims. Leiders van de soennitische moslims voelden zich daarentegen sterk met de Arabische wereld verbonden en eisten aansluiting bij Syrië. Tussen beide groepen bestond een wankel evenwicht. Onder Franse druk werden zij gedwongen tot politieke samenwerking, die neerkwam op verdeling van de bestuursposten. Sinds 1926 functioneerde een grondwet die daarvoor de spelregels formuleerde. In 1936 kwam er een verdrag dat onafhankelijkheid in het vooruitzicht stelde. Het Franse parlement weigerde echter ratificatie, zodat het – net als voor Syrië – tot na de Tweede Wereldoorlog zou duren voordat de onafhankelijkheid voor Libanon een feit werd.

De geboorte van Saoedi-Arabië

Vanaf 1920 bleef sjarief Hoessein vanuit Mekka tieren over het Britse ver-
raad. De Britten lieten hem aan zijn lot over. Zij hadden geen belangstelling voor de Hedzjaz, de regio van Mekka en Medina. Hoessein was bij
zijn eigen onderdanen impopulair, onder meer omdat hij een van de
doodgravers van het Ottomaanse Rijk was, de knecht van de Engelsen die
bovendien nog het kalifaat claimde. In 1924 werd hij in ballingschap gedreven.

De man die hem toen versloeg was zijn aartsvijand Abd el-Aziz Ibn
Saoed, een woestijnvorst die aanvankelijk (vanaf 1902) slechts het woes-
tijnfort Riyad beheerste. Zijn voorvaderen hadden zich militair verbonden met een puriteins-islamitische bedoeïenenstam, de wahabieten. Ibn
Saoed slaagde erin de woestijnstammen te verenigen door de stichting
van moskeeën en islamscholen in een netwerk van oasesteden, die tegelijk de stammen van de nodige voorraden en wapens konden voorzien. In
bloedige gevechten rekende hij af met al zijn overgebleven vijanden. Hij
veroverde met zijn wahabitische krijgers het uitgestrekte gebied tussen
de Perzische Golf en de Rode Zee, waarvan de olieschatten toen nog niet
ontdekt waren. Trots vertelde hij hoe hij vijanden met één sabelhouw het
hoofd afhakte. Zijn voornaamste steunpilaren, de fanatieke wahabieten-
bedoeïenen, gaven er graag blijk van bereid te zijn voor Allah te sterven.
De combinatie van zwaard en heilig boek werkte nog altijd.

Zo kreeg Arabië een nieuwe heerser. Groot-Brittannië begreep dit en
sloot in 1927 een verdrag, waarin het Ibn Saoed erkende als nieuwe
machthebber, en deze beloofde op zijn beurt de Britse bezittingen aan de
zuidkust van het Arabisch schiereiland en in de Perzische Golf ongemoeid te laten. In 1932 werd het nieuwe koninkrijk Saoedi-Arabië uitgeroepen. De puriteinse normen van de wahabieten werden in heel het uitgestrekte schiereiland ingevoerd. De koran werd de grondwet, en de sharia de wetgeving voor dagelijks gebruik. Er kwam een absoluut rook- en
drinkverbod. Wie met een sigaret in zijn mond werd aangetroffen, kon
veertig zweepslagen tegemoet zien. Overspel tijdens de ramadan werd
bestraft met terechtstelling van de man of steniging van de vrouw. Hard-
op lachen of zingen werd verboden. Vrouwen verdwenen uit het straat-
beeld. Alleen koning Ibn Saoed was vrijgesteld van alle beperkingen. De

grote mogendheden erkenden het koninkrijk Saoedi-Arabië meteen. Ze moesten wel, want hun imperia telden tientallen miljoenen moslimonderdanen (zoals in Brits-Indië en Nederlands Oost-Indië) die vol belangstelling naar Mekka keken. Ibn Saoed riep zichzelf uit tot beschermheer van de heilige plaatsen. Inkomsten uit de bedevaarten naar Mekka vormden tot begin jaren dertig de belangrijkste geldbron.

Indien de westerse landen hadden geweten hoeveel olie er in de bodem van Saoedi-Arabië zat, zouden ze het gebied wellicht niet zo gulhartig aan Ibn Saoed hebben gegund. De koning besefte het zelf ook niet. Wel liet hij zich vanaf 1932 royaal betalen door buitenlandse firma's die op zoek waren naar olievoorraden. Hij had dat geld dringend nodig tijdens de economische depressie. Jarenlang leverde het gezoek slechts teleurstellende vondsten op. In 1938 was het echter de Amerikaanse firma Socal (Standard Oil of California), die de beslissende olievondst deed, en daarmee de Britse Iraqi Petroleum Company achter het net deed vissen. Het drong maar langzaam tot Ibn Saoed door, wat voor bron van macht en rijkdom zich onder zijn voeten bevond: later werd berekend, dat de olievoorraden van Saoedi-Arabië een kwart vormden van de totale wereldvoorraad van 'het zwarte goud'. De Amerikanen bleven zijn favoriete klanten. Zij monopoliseerden de oliewinning. De relaties tussen Saoedi-Arabië en de Verenigde Staten werden verstevigd onder president F.D. Roosevelt, die goed besefte dat Saoedi-Arabië in de Tweede Wereldoorlog van vitaal belang was voor de verdediging van zijn land.

Turkije moderniseert

De rompstaat Turkije onderging na het vernederende Verdrag van Sèvres uit 1920 een indrukwekkende metamorfose. Het eens zo machtige en gevreesde Ottomaanse Rijk was in de Eerste Wereldoorlog ten onder gegaan. Turkije bestond nog slechts uit het schiereiland Anatolië en een klein stukje Europees gebied ten westen van Istanbul. Delen van Anatolië waren bezet door Italianen en Grieken. In 1921 bezetten de Grieken zelfs de oude Ottomaanse hoofdstad Bursa. Bij hun intocht verwoestten zij moskeeën en begingen zij wreedheden tegen de burgerbevolking. De Turken reorganiseerden echter hun troepen, en vormden in Ankara, midden in Anatolië, een nieuwe regering (tegen die van de indolente sultan) onder leiding van Mustafa Kemal. Onder commando van dezelfde Kemal startten zij een onafhankelijkheidsoorlog. Het eerst moest de prille Armeense republiek in Oost-Anatolië eraan geloven; die werd verdeeld tussen Turkije en de Sovjet-Unie. Vervolgens gaven de Italianen te kennen zich uit Zuid-Anatolië terug te trekken. Ten slotte werden de Grieken verslagen. In 1922 werden anderhalf miljoen Grieken uitgewisseld tegen 400.000 Turken, die nog in Griekenland woonden, met onnoemelijk veel menselijk leed als gevolg. Na een eeuw van strijd waren de beide volkeren definitief gescheiden. Een intense vijandschap bleef, onder meer over de status van het eiland Cyprus, waar zowel Grieken als Turken woonden. Bij het Verdrag van Lausanne in 1923 werden de nieuwe grenzen van Turkije internationaal erkend.

De Koerden in Oost-Turkije bleven over als grootste etnische minderheid. Deze besloeg maar liefst 20 procent van de bevolking. De Turkse staat ontkende de identiteit van de Koerden. Zij beschouwde hen als 'broeders van dezelfde natie' en noemde hen Bergturken. Een Koerdische opstand in 1925 werd niet gezien als verzet tegen de 'turkificatie', maar als protest tegen de vooruitgang. De opstand werd neergeslagen; de leider en 46 volgelingen werden geëxecuteerd. Ook latere opstanden waren vruchteloos. Er zijn momenteel in het Midden-Oosten zo'n twintig miljoen Koerden, verspreid over Turkije, Syrië, Irak en Iran. Zij zijn het grootste volk ter wereld zonder eigen staat.

De weg was vrij voor de opbouw van de Turkse natiestaat. Kemal, populair geworden in de strijd tegen de Grieken, zette de laatste sultan af. Hiermee eindigden zes eeuwen heerschappij van het huis Osman. In 1923 werd de republiek Turkije uitgeroepen, met Kemal als president, en met Ankara als nieuwe hoofdstad. Kemal wilde met het Ottomaanse verleden afrekenen. Modernisering was zijn devies en Europa diende als voorbeeld. Hij wilde het idealisme van de Jong-Turkse revolutie van 1908 tot nieuw leven wekken en het volk uit de 'oosterse passiviteit' omhoog trekken. Hiertoe voerde de president-dictator, die vanaf 1931 met een eenpartijstelsel regeerde, tal van veranderingen door. Aangezien hij de islam als hinderpaal voor vooruitgang zag, hief hij het kalifaat op (1924). Dat betekende een scheiding tussen godsdienst en staat. Veel moskeeën werden gesloten en de Aya Sofia werd een museum. Vervolgens werd het islamitische onderwijs vervangen door een seculier onderwijssysteem en werden islamitische gerechtshoven opgeheven. De sharia werd vervangen door een burgerlijk wetboek uit Zwitserland en een wetboek van strafrecht uit Italië. Het Latijnse schrift verving het Arabische schrift, en het Turks werd van Arabische en Perzische woorden gezuiverd. De koran, die nog altijd in het Arabisch werd gelezen, werd in het Turks vertaald.

Niet minder belangrijk waren de symbolische hervormingen. Ter vervanging van de tulband en de fez (hoofddeksels die herinnerden aan de tijd van het 'achterlijke' Ottomaanse Rijk) werd het dragen van een hoed aangemoedigd. De hoed werd het symbool van vooruitgang. Vrouwenemancipatie kwam tot uitdrukking in verruimde onderwijsmogelijkheden, verboden op polygamie en het haremsysteem, en de invoering van vrouwenkiesrecht. Er kwamen vrouwelijke kamerleden en vrouwelijke rechters. De sluier durfde men nog niet te verbieden, maar vrouwen werden wel aangespoord dit symbool van achterstelling niet meer te dragen. In 1926 werden ook de westerse klok en kalender overgenomen. De zondag verving de vrijdag als wekelijkse rustdag.

Kemal liet ook de geschiedenis van het Turkse volk herschrijven. Het woord Turk werd ontdaan van zijn negatieve betekenis. De Ottomaanse erfenis moest uit het geheugen worden gewist. Hiervoor in de plaats zocht men nieuwe historische wortels in de oude middeleeuwse nomadenvolkeren van de steppen van Centraal-Azië, en in cultuurvolken uit de Oudheid. Zo leerden de Turkse kinderen voortaan dat Attila de Hun, Djengis Khan en zelfs de Sumeriërs en de Trojanen eigenlijk voorlopers waren van het Turkse volk. Dit extreme nationalisme (later afgezwakt) stond op gespannen voet met het streven naar aansluiting bij het Westen; maar toch maakte het de modernisering gemakkelijker, juist vanwege het drastisch loslaten van het Ottomaanse erfgoed.

Het feit dat een niet-westers en islamitisch land ervoor koos zijn verleden af te werpen en zich bij het Westen te voegen, maakte grote indruk. Toch werd de droom van Kemal – een heel volk alfabetiseren en bewegen tot westers denken en handelen – nooit gerealiseerd. Veel hervormingen raakten alleen de buitenkant. Voor een analfabete boer in Anatolië maakte de vervanging van het Arabische door het Latijnse schrift geen verschil. Een groot deel van de bevolking bleef gekant tegen de westerse koers. De krachten van het conservatisme bleken sterk. Grootgrondbe-zitters wisten met succes landhervormingen tegen te houden, en investeringen in de textiel- en staalindustrie in het kader van een vijfjarenplan bleken lang niet altijd te renderen. De islamitische geestelijken waren fel tegen het terugdringen van de invloed van de islam in onderwijs en wetgeving. Hevig was het verzet toen Kemal de strijd aanbond met wonderdokters, heiligengraven, amuletten, pelgrimages, islamitische feestdagen en andere uitingen van volksgeloof. De fundamentalistische onderstroom bleef bestaan en werd na zijn dood weer sterker.

Kemal werd nog tijdens zijn leven verheerlijkt als vader des vaderlands, krijgsheld, leraar en symbool van moderniteit. Hij werd Atatürk genoemd, vader der Turken. Zijn beeltenis verscheen overal, en de boodschap van modernisering werd aan zijn persoon opgehangen. Hij stierf in 1938, 57 jaar oud. Maar al te vaak is de modernisering afgeschilderd als een prestatie van deze man alleen. Dat is onjuist, want het moderniseringsproces was al eerder ingezet, en werd door velen gedragen. Maar het is de vraag of Turkije had kunnen overleven zonder de leiderscapaciteiten van Atatürk.

Iran moderniseert

Gedurende de negentiende eeuw was Perzië een speelbal van Groot-Brittannië en Rusland geworden. Het land bleef in naam zelfstandig, maar de invloed van de beide imperialistische machten reikte ver. De Russen hadden een eigen invloedssfeer in het noorden, de Britten in het zuiden. In 1906-1909 leidde ontevredenheid over buitenlandse dominantie tot een nationalistische opstand, die een grondwet opleverde en de heersende sjah dwong op te stappen. De revolutie was het werk van een coalitie van kooplieden, geestelijken en westersgezinde hervormers. Hun onderlinge verdeeldheid maakte echter dat de revolutie geen concrete resultaten kon boeken. Het centrale gezag viel praktisch weg. Toen er in 1908 olie werd ontdekt, plukten de Britten daarvan de vruchten: aan hen was de concessie verleend. Ter bescherming van die belangen gingen er kort daarop Britse troepen aan land; Russische legers vielen het noorden binnen.

De Eerste Wereldoorlog vormde een chaotisch intermezzo: Britse, Russische en Turkse troepen opereerden in het officieel neutrale Perzië. In 1921 wist Reza Pahlavi, commandant van een van de weinige goedge-organiseerde legeronderdelen, met Britse steun de macht te veroveren. Hij vestigde een sterk militair bewind, door de nomadenstammen te on-derwerpen en de politie en strijdkrachten onder controle te krijgen. In 1926 kroonde hij zichzelf als de nieuwe sjah. Zo stichtte hij de Pahlavi-dynastie. Hij was een bewonderaar van Kemals hervormingen in Turkije. Hij probeerde zijn land naar westers voorbeeld te moderniseren, al ging hij lang niet zo drastisch en consequent te werk als Kemal. Onder meer kwam er een nieuw burgerlijk wetboek naar Frans voorbeeld, dat de sha-ria verving. Rechters moesten voortaan aan de rechtenfaculteit van de nieuwe universiteit van Teheran geschoold zijn, hetgeen de ulema (de geestelijken) van hun juridische macht beroofde. Er kwamen wetten die de inwoners dwongen zich westers te kleden. De hoed voor de man werd verplicht; de sluier voor de vrouw werd verboden. Vrouwen bleven overi-gens ondergeschikt aan de man: zij kregen geen kiesrecht, en ook in de huwelijkswetgeving bleef de man de lakens uitdelen. Via een geheel nieuw netwerk van scholen werd de strijd aangebonden tegen het analfa-betisme. Er werd ook geïnvesteerd in de infrastructuur: in 1938 kwam er een spoorlijn van de Kaspische Zee via Teheran naar de Perzische Golf. Overheidsinitiatieven stimuleerden industrialisatie, waardoor het aan-zicht van de grote steden als Teheran veranderde. Net als Kemal probeer-de Reza Pahlavi ook het nationaal besef te versterken door nationale symbolen te introduceren. In 1935 veranderde hij de naam van Perzië in Iran, een verwijzing naar de pre-islamitische wortels van het land.

Alleen de oliewinning onttrok zich aan controle door de regering. Die was en bleef stevig in handen van de Anglo-Iranian Oil Company, die vrij-wel autonoom opereerde in het kustgebied van de Perzische Golf, als een staat in de staat. De olieproductie steeg van vijftigduizend ton in 1912 tot vijf miljoen ton in 1930. Het enige wat de sjah van de Britten wist los te peuteren was een zeer bescheiden royaltyverhoging. De Britten weiger-den verder ook maar een duimbreed te wijken voor de redelijke verlan-gens van Iran, dat wilde profiteren van de eigen olierijkdom. Dit ver-klaarde de pro-Duitse koers die de sjah ging varen aan de vooravond van de Tweede Wereldoorlog.

Palestina onder Brits Mandaat

In een ontwerpmandaatsverdrag dat de Britten in 1922 voor Palestina opstelden, stond dat het niet de bedoeling was het gebied een exclusief joods karakter te geven; tegelijk werd echter expliciet vermeld dat Palestina werd opengesteld voor joodse immigranten. Met dit laatste losten de Britten de belofte in van de Balfourverklaring. Het mandaat sprak niet van een onafhankelijke joodse staat in de toekomst, noch over Arabische onafhankelijkheid. De Britse hoge commissaris, sir Herbert Samuel, merkte al direct dat het onmogelijk was de Arabieren te verzoenen met de Balfourverklaring. Het lukte hem niet een overlegorgaan op te zetten, laat staan een constitutie of een parlement. Verkiezingen zijn er nooit geweest in het mandaatgebied Palestina.

Palestina was een arm land met een onderontwikkelde bevolking. De Britten gokten aanvankelijk op goede samenwerking tussen joodse nieuwkomers en hun Arabische buren, door de smeerolie van joods kapitaal en kennis. Inderdaad veranderden joodse immigranten veel dorre of moerassige streken in gezonde, vruchtbare landbouwgronden. Zij leefden vaak in kibboetzim (meervoud van 'kibboets', een op het socialisme gebaseerde dorpsgemeenschap met gemeenschappelijk eigendom). De eerste kibboets was in 1909 gesticht door uit Rusland afkomstige joden met utopisch-anarchistische idealen. De joden, meestal stadsmensen, zouden opnieuw op en van het land moeten gaan leven, en een maatschappij opbouwen op basis van gelijkheid. De kibboets zou aan de voormalige onderdrukte gettobewoners een nieuw, trots zelfbewustzijn geven.

Rond 1920 bestond de bevolking van Palestina nog voor bijna 90 procent uit Arabieren. Tijdens het Britse mandaat groeide het aantal joden sterk. In 1922 waren er naar schatting 800.000 Arabieren en 84.000 joden; in 1931 waren er 860.000 Arabieren naast 174.000 joden. In 1944 was het aantal Arabieren gestegen tot 1.179.000, maar het aantal joden tot 554.000. Joden maakten toen dus al 32 procent uit van de bevolking van Palestina.

Groeiende vijandschap tussen Arabieren en joden
1922-1939

De Britse hoop op joods-Arabische samenwerking bleek niet gegrond. Al vrij snel na 1922 openbaarden zich problemen. In de eerste plaats waren de Arabieren in Palestina – net als in de overige mandaatgebieden – in de ban van het nationalisme geraakt. Toen Irak en Syrië op weg gingen naar onafhankelijkheid, stimuleerde dit hun nationalistische agitatie. Overigens was de Arabische elite gewikkeld in een interne machtsstrijd, zodat er geen partij of leider opstond die namens de Arabische gemeenschap kon spreken.

In de tweede plaats was duidelijk dat joden en Arabieren aparte leefgemeenschappen zouden blijven vormen, waarbij de joden een veel hogere organisatiegraad toonden. Zij richtten in 1921 het Joods Agentschap op, eigenlijk een pseudo-regering. Daarnaast kwam er een eigen vakbeweging, de Histadroet, die voor joodse arbeiders voorzieningen trof zoals woningbouwverenigingen, gezondheidszorg en onderwijs. Maar ook openbare werken, scheepsbouw en bankiersactiviteiten werden door de Histadroet opgezet. Er werd ook een eigen Hebreeuwse universiteit geopend. In 1930 werd de Mapai opgericht, de politieke partij die zich nauw met de Histadroet verbond. Zowel de Mapai als het Joods Agentschap stond onder voorzitterschap van David Ben Goerion, die in 1906 vanuit Polen naar Palestina was gekomen, in een kibboets had gewerkt en een van de oprichters was van de Histadroet. Ook vormden de joden een eigen defensiemacht, de Haganah, om zich te beschermen, wat wel nodig bleek nadat in 1920 de eerste bloedige rellen waren uitgebroken.

De Arabische bevolking van Palestina kon weinig uitrichten tegen de zionisten, die in technologisch en organisatorisch opzicht superieur waren en over de juiste financiële middelen beschikten. De meeste zionisten zagen de Arabieren nog niet staan. Ze namen niet de moeite Arabisch te spreken, of praktische zaken van de Arabieren over te nemen. Het zionistische Joodse Nationale Fonds kocht het land op van Arabische grootgrondbezitters, die vaak ver weg woonden, en betaalde er grif voor. Vervolgens merkten veel arme Arabische pachters en keuterboertjes dat joodse kolonisten met eigendomspapieren op hun land neerstreken, en dat zijzelf hun bron van inkomsten kwijtraakten. In 1939 was op die manier ongeveer 10 procent van het bebouwbare land in joodse handen gekomen. Het kwam steeds vaker tot incidenten tussen joden en Arabieren, bijvoorbeeld over het bezit van waterputten.

Een klein deel van de zionisten had geen geduld met de politiek van kleine stappen van het Joods Agentschap. De radicale Russische zionist Wladimir Jabotinski formuleerde rond 1930 zijn 'revisionistische' theorieën: elk jaar vijftigduizend joodse immigranten erbij, en grootscheepse joodse kolonisatie, nota bene aan beide oevers van de Jordaan. Revisionisten richtten een eigen militie op, de Irgoen, die geheel los van de Haganah opereerde. Twee van Jabotinski's jonge fanatieke aanhangers (Begin en Shamir) zouden het later brengen tot premier van Israël.

De Britten hadden moeite om orde te houden, en probeerden de joodse immigratie af te remmen. Maar in 1933 kwam in Duitsland Adolf Hitler aan de macht. De daaropvolgende terreur tegen de Duitse joden deed de uittocht naar Palestina juist enorm toenemen. Alleen al in 1935, het jaar van de racistische Neurenberger Wetten, kwamen er zestigduizend joodse vluchtelingen binnen, onder wie geleerden, medici, juristen en ingenieurs. Zij konden niet uitwijken naar de Verenigde Staten of Canada, waar strenge immigratiewetten van kracht waren. In totaal kwamen er tussen 1933 en 1936 170.000 vluchtelingen bij, zodat de joodse gemeenschap in drie jaar tijd verdubbelde.

In 1936 mondden anti-joodse demonstraties uit in een openlijke burgeroorlog. Prominente Arabieren zetten hun volgelingen tot extremisme aan. Al in 1921 had de Britse hoge commissaris een Hoge Moslimraad opgericht, en de leiding toevertrouwd aan de extreme nationalist Amin el-Hoesseini, die ook moefti (hoge rechtsgeleerde) van Jeruzalem was. Hij was een pragmaticus, en tegelijk een onverzoenlijk antizionist; later werd hij berucht als jodenhater en bewonderaar van Adolf Hitler. Arabieren gingen massaal in staking en weigerden nog langer belasting te betalen. Er vonden tal van moorddadige aanvallen plaats op joodse gemeenschappen en op Britse ambtenaren. Wegen en spoorlijnen werden ondermijnd. De opstand duurde bijna drie jaar en kostte het leven aan bijna zevenduizend mensen.

De Britse regering stuurde in 1937 een onderzoekscommissie, de Peel-commissie. Die concludeerde dat de Arabieren en de joden in hun culturele en sociale leven, hun gedrag en denkwijze even onverenigbaar waren als in hun nationale aspiraties. Assimilatie was dus uitgesloten. De commissie stelde een verdeling van Palestina voor: een klein joods staatje in Galilea (Noord-Palestina) en de kustvlakte, een Arabisch-Palestijnse staat in de rest, en een uitzonderingsgebied van Jaffa tot Jeruzalem onder blijvend Brits bestuur. De zionisten achtten het voorstel bespreekbaar, maar de Arabieren wezen het resoluut van de hand. Intussen gingen de gewelddadigheden door. De Britten arresteerden en verbanden leiders (Amin el Hoesseini week uit), zetten militaire rechtbanken op en versterkten hun politiemacht.

In 1939 hakte de Britse regering de knoop door. Zij vaardigde een 'Witboek' uit, waarin zij zelfbestuur voor Palestina binnen tien jaar in het vooruitzicht stelde. De joodse immigratie zou worden beperkt tot jaarlijks vijftienduizend mensen in de eerste vijf jaren, waarna de instroom afhankelijk zou worden van Arabische goedkeuring. Grondaankopen door joden werden beperkt. Voor de joden was het Witboek een grote tegenslag. Juist op het moment dat in Europa hun positie acuut bedreigd werd – de Tweede Wereldoorlog hing in de lucht – verloren zij hun toevluchtsoord. De Britten wilden de Arabieren te vriend houden in verband met diezelfde oorlog, waarin olietoevoer van vitaal belang zou zijn. Goede relaties met de Arabieren stonden dus voorop. Joodse organisaties gingen zich nu inspannen voor clandestiene immigratie.

De Tweede Wereldoorlog en de holocaust

Tijdens de Tweede Wereldoorlog (1939-1945) namen Arabieren een afwachtende houding aan, omdat zij de oorlog als een Europese zaak beschouwden. Het Midden-Oosten vormde slechts een zijtoneel, afgezien van de woestijnoorlog in Noord-Afrika, waarin het Duitse Afrika Corps in oktober 1942 bij El-Alamein door Montgomery's troepen werd teruggeslagen. De Duitsers en Italianen probeerden munt te slaan uit de heersende anti-Britse en anti-joodse stemming onder grote delen van de Arabische bevolking van het Midden-Oosten. Vanuit de gedachte 'de vijand van mijn vijand is mijn vriend', hadden Arabische leiders daar wel oren naar. Uit voorzorg gingen de Britten ertoe over hun greep te verstevigen op vitale olieleveranciers als Irak en Iran. Zij bezetten Irak, en dwongen de sjah van Iran tot aftreden ten gunste van diens zoon. Samen met hun Russische bondgenoten bezetten zij Iran, zoals ze dat al eerder gedaan hadden. Tegelijkertijd bezetten Britse troepen, samen met troepen van De Gaulles 'Vrije Fransen', de Franse mandaatgebieden Syrië en Libanon.

Zionistische strijdgroepen kozen – ondanks het Witboek – de kant van de geallieerden. Ben Goerion sprak: 'Wij zullen vechten met Groot-Brittannië alsof er geen Witboek bestond, en tegen het Witboek alsof er geen oorlog bestond.' Er werd een aparte joodse brigade gevormd die mocht meevechten in Noord-Afrika en Italië. Joodse soldaten deden zo gevechtservaring op in de strijd tegen de nazi's die immers de meest afschuwelijke jodenvervolging uit de geschiedenis uitvoerden. De Haganah legde geheime wapenarsenalen aan. Naast de Haganah waren er kleine, fanatieke joodse terreurgroepen actief, de Irgoen en de Sterngroep, die aanslagen pleegden op Arabische én op Britse instellingen. In de ogen van deze extreme, revisionistische zionisten waren Churchill en Hitler één pot nat.

In 1945 gingen de poorten van Hitlers concentratie- en vernietigingskampen open. Met ontzetting nam de wereld kennis van de holocaust, de ramp die zich over de Europese joden had voltrokken. De ergste vermoedens bleken te zijn overtroffen door de keiharde realiteit. Bijna zes miljoen joden waren vermoord. Tot de massamoord hadden de nazi-leiders besloten op de Wannsee-conferentie op 20 januari 1942; vervolgens was deze met ijzeren systematiek uitgevoerd, compleet met doorgangskampen, deportatietreinen, gaskamers en crematoria. De wereld had de genocide niet weten te verhinderen. Tijdens het proces te Neurenberg in 1945-1946 tegen de kopstukken van Hitlers Derde Rijk kwamen de gruwelijkste details boven tafel.

De morele schok was groot. De noodzaak van een eigen joodse staat leek dwingender dan ooit, niet het minst bij westerse politici die schuldgevoelens hadden over de eigen passiviteit of naïviteit tegenover de noodlotstijdingen in de oorlogsjaren. Joden die aan de moord waren ontkomen – ongeveer een miljoen hadden het in Europa overleefd – hadden hun familie en vriendenkring verloren, en wilden veelal nog maar één ding: toevlucht zoeken in Palestina. Inmiddels had Groot-Brittannië, conform het Witboek, de joodse immigratie naar Palestina echter helemaal stopgezet. De zionistische beweging keerde zich dan ook duidelijk tegen het Britse mandaat.

De geboorte van de staat Israël

De Britten konden de orde in Palestina nauwelijks meer handhaven. Zij verrichtten massa-arrestaties onder zionisten. Extremistische zionisten pleegden aanslagen en sabotagedaden. Nauwelijks zeewaardige schepen, volgepropt met joodse vluchtelingen, probeerden hun menselijke lading af te zetten op de kusten van Palestina. In juli 1947 herdoopten passagiers van zo'n schip hun vaartuig in Exodus 47. De Britse politie enterde het schip, en laadde de passagiers over op schepen die hen naar Duitsland terugbrachten. Dit was propaganda voor de joodse zaak. De Britse regering (die zich zojuist al uit India had teruggetrokken) legde het hoofd in de schoot en kondigde in september 1947 aan het mandaat over Palestina per 15 mei 1948 neer te leggen. De verantwoordelijkheid voor het vraagstuk-Palestina kwam nu bij de Verenigde Naties (VN) te liggen, de vredesorganisatie die in 1945 was opgericht als erfgenaam van de vooroorlogse Volkenbond. De aankondiging van de Britse terugtrekking deed de strijd in Palestina oplaaien, waarbij de Britten geen moeite meer deden om de strijdende partijen uit elkaar te houden, net zomin als ze zorgden voor instanties aan wie ze het bestuur enigszins ordelijk konden overdragen.

Op 29 november 1947 sprak de Algemene Vergadering van de Verenigde Naties zich met 33 stemmen voor, 13 tegen en 10 onthoudingen uit voor een verdeling van Palestina in een Arabische en een joodse staat. Jeruzalem en Bethlehem zouden worden geïnternationaliseerd. De joodse staat bedroeg iets meer dan de helft van het grondgebied, ondanks het feit dat de joden slecht eenderde van de bevolking uitmaakten. De zionisten slikten het compromisvoorstel, maar de Arabieren waren fel tegen. De VN bleken niet in staat hun beslissing te effectueren. Nu braken er op grote schaal vijandelijkheden uit. Beide partijen probeerden zo veel mogelijk grondgebied in handen te krijgen. Gevechten werden steeds heviger, en ontaardden soms in wrede represailleacties. In april 1948 voerde een commando van de Irgoen een massamoord uit op 125 bewoners van het dorpje Deir Yassin. Deze actie droeg ertoe bij dat veel Arabieren in paniek op de vlucht sloegen. De Britten zetten een prijs op het hoofd van de Irgoen, de latere Israëlische premier Menachim Begin. Ook na de zionistische inname van steden als Haifa en Jaffa vertrok vrijwel de hele Arabische bevolking. Deportatie gebeurde veelal stelselmatig. Volgens een Israëlische lezing zijn veel Arabieren niet gevlucht vanwege joodse terreurdaden, maar gaven zij gehoor aan een oproep van Arabische leiders via radio-Caïro om tijdelijk het land te verlaten, in afwachting van de voorspelde Arabische overwinning. Recent historisch onderzoek verwijst deze versie echter goeddeels naar het rijk der fabelen.

Op 14 mei 1948, een dag voordat de Britse vlag zou worden gestreken, riep David Ben Goerion in Tel Aviv de joodse staat Israël uit, op het gebied dat de VN aan de joden hadden toebedeeld. Hij noemde Israël de bakermat van het joodse volk, dat de wildernis had doen bloeien en steden en dorpen had gebouwd. De vernietiging van miljoenen joden had de dringende noodzaak bewezen van de status van gelijkberechtigde natie binnen het grote geheel der volkerenfamilie.

De Arabische landen hadden in 1945 een organisatie opgericht, de Arabische Liga. De proclamatie van de staat Israël was voor hen het sein tot een aanval. Legereenheden uit Egypte, Syrië, Libanon, Transjordanië en Irak, en een speciaal Arabisch Bevrijdingsleger, vielen Israël binnen om de Palestijnse Arabieren te helpen, die immers in tegenstelling tot de zionisten niet over een eigen strijdmacht beschikten. De aanval was slecht voorbereid. De Arabische legers (samen slechts 21.500 man) waren slecht getraind en het moreel was laag. De 35.000 Haganahstrijders vochten daarentegen met de moed der wanhoop. De oorlog sleepte zich, met onderbrekingen, heel het jaar 1948 voort. Israël wist onder meer de Negev-woestijn te veroveren, heel Galilea en West-Jeruzalem. Begin 1949 was er een wapenstilstand; Israël telde zesduizend doden. De demarcatielijnen werden internationaal erkend als de grenzen van de nieuwe staat Israël, die bijna 80 procent besloeg van het grondgebied van Palestina. De nieuwe staat werd toegelaten tot de Verenigde Naties. De droom van Theodor Herzl was werkelijkheid geworden. Plechtig werd diens lichaam herbegraven in Jeruzalem.

De Gazastrook kwam onder Egyptisch bestuur. De Westoever van de

Jordaan kwam onder beheer van Transjordanië. In 1950 zou koning Ab-doellah dit gebied inlijven; de naam van zijn hasjemitische koninkrijk veranderde toen in Jordanië.

De staat Israël was geboren uit onrecht, maar gegrondvest op nieuw onrecht. De oorlog had een vluchtelingenstroom van 750.000 Arabische Palestijnen teweeggebracht, afkomstig uit meer dan vierhonderd dorpen. Er bleven slechts 160.000 Arabieren binnen de grenzen van de staat Israël wonen. De meeste vluchtelingen belandden in kampen op de Westoever en in de Gazastrook. Van terugkeer naar hun haardsteden kon geen sprake zijn, omdat Israël weigerde die toe te staan. Voor hulp waren de vluchtelingen, voortaan 'Palestijnen' genoemd, aangewezen op de Verenigde Naties, die er een aparte organisatie voor opzetten, de UNRWA (United Nations Relief and Works Agency). De kampen groeiden uit tot semi-permanente verblijfplaatsen. Op den duur werden zij broeinesten van frustratie en radicalisering. Honderdduizenden Palestijnen verkommerden, en de Arabische leiders deden weinig tot niets om hen op te vangen. Als ontheemde vluchtelingen vormden de Palestijnen voor hen een propagandawapen om de wereld duidelijk te maken hoe onmenselijk Israël was. Voortaan was het jaar 1948 het nieuwe rampjaar in het collectieve geheugen van de Arabieren.

Geen enkel Arabisch land erkende de staat Israël, of was bereid tot een vredesakkoord. De kiemen voor meer geweld in de toekomst waren gezaaid.

5 Oorlogen, conflicten en spanningen 1949-2003

Sinds de uitroeping van de staat Israël heeft het Midden-Oosten geen vrede meer gekend. De gespannen verhouding van de joodse staat tot de Arabische buurlanden liep na 1949 nog viermaal uit in een echte oorlog: in 1956, 1967, 1973 en 1982. Verder was de wereld getuige van de opkomst van fenomenen als het Arabisch socialisme, de macht van de olie-landen, het moslimfundamentalisme, de oorlog tussen Irak en Iran, de Golfoorlog en de strijd tegen het terrorisme.

De opbouw van de staat Israël

De staat Israël hoefde niet vanuit het niets opgebouwd te worden, want in de mandaatperiode bestonden er al joodse instellingen, zoals het Joods Agentschap, de Histadroet en de Haganah. De Haganah transformeerde zich tot het Israëlische leger. De Mapai werd onder leiding van premier Ben Goerion de vanzelfsprekende regeringspartij, hoewel zij nooit meer dan 47 van de 120 zetels in de Knesset, het parlement, bezette, zodat altijd coalitievorming nodig was. De Knesset werd gekozen met algemeen mannen- en vrouwenkiesrecht. Israël ontwikkelde zich tot een krachtig, modern land, de enige democratie in de wijde regio. In korte tijd werden enorme prestaties geleverd op het gebied van huizenbouw, wegenaanleg, industrie en landontginning.

Honderdduizenden joden trokken naar de nieuwe staat Israël. De Wet op de Terugkeer (1950) bepaalde, dat elke jood waar ook ter wereld het recht had naar Israël te immigreren, waarbij onmiddellijk het staatsburgerschap werd verleend. Immigranten uit de Sovjet-Unie, Jemen, Polen, Marokko en tal van andere landen moesten nieuw werk vinden en zich op allerlei manieren aanpassen. Het Hebreeuws, de oude taal, was nieuw leven ingeblazen (al in de jaren twintig) en vormde een belangrijk voer-

Arabisch-Israëlische bestandslijnen, 1949.

tuig van de nationale identiteit. Voor de opvang en de tewerkstelling van de honderdduizenden joodse immigranten werden leegstaande Arabische dorpen, woonwijken en landgoederen aangewend, wat een eventuele terugkeer van de Palestijnse vluchtelingen feitelijk onbespreekbaar maakte voor de Israëlische regering.

Van 1948 tot 1951 verdubbelde de Israëlische bevolking van 650.000 naar 1,3 miljoen mensen. Eén op de twee immigranten behoorde toen tot de zogenaamde *displaced persons*, oud-kampbewoners en nabestaanden van holocaustslachtoffers; velen van hen waren getraumatiseerd. Rond 1950 bestond bijna eenderde deel van de joodse bevolking van Israël uit overlevenden van de holocaust. Het verband tussen deze ramp en het bestaansrecht van Israël bleef een centraal element in het collectieve bewustzijn van de Israëli's. Na veel discussie accepteerde de Knesset in 1952 een West-Duits aanbod tot financiële schadevergoeding, de 'Wiedergutmachung'. Het proces in 1961 in Jeruzalem tegen Adolf Eichmann, de organisator van de deportatie naar de vernietigingskampen, bracht de vernietiging van het Europese jodendom opnieuw schrijnend onder de aandacht, zoals Yad Vashem en andere musea en gedenkplaatsen – en ook de media – dat permanent gingen doen.

In 1961 telde Israël al twee miljoen inwoners; rond 2000 was het bevolkingsaantal gestegen tot zes miljoen, onder wie ongeveer een miljoen Arabieren. De Arabische inwoners van Israël kregen vanaf 1966 wel kiesrecht en andere burgerrechten, maar werden op vele manieren gediscrimineerd. Zij werden uitgesloten van militaire dienst (en dus van allerlei voorzieningen voor veteranen), en konden geen land kopen; enkele nieuwe wetten hadden het effect dat meer dan 90 procent van de landbouwgrond in joodse handen terechtkwam.

Een groot percentage van de nieuwkomers werd gevormd door joden uit de Arabische wereld, waar hun voorouders al vele eeuwen als minderheden tussen de moslims hadden geleefd. Alleen al uit Marokko zochten 260.000 joden toevlucht in Israël, en uit Irak zo'n 130.000. Deze zogenaamde oosterse joden worden aangeduid met de term 'sefardim'. Zij spraken bij aankomst voornamelijk Arabisch en hielden er andere culturele waarden op na dan de 'asjkenazim', diegenen die uit Europa afkomstig waren. In sefardische kringen waren meer voorstanders te vinden van een harde lijn tegenover de Palestijnen en de Arabische buurlanden dan bij de asjkenazim. Een andere scheidslijn door de Israëlische bevolking vormde de tegenstelling tussen orthodoxe joden, die een soort theocratie voorstonden, en de voorstanders van een seculiere samenleving met scheiding van religie en staat.

Israël werd een tot de tanden gewapende natie, met een leger dat naar verhouding tot het aantal inwoners het grootste ter wereld was. Omringd door vijandige buurlanden, vertoonde het land karaktertrekken van een belegerd fort. Elke Israëlische man moest op zijn achttiende voor drie jaar in militaire dienst, elke vrouw voor twee jaar. Na de diensttijd volgden frequente herhalingsoefeningen. Het leger werd met de modernste wapens uitgerust. De Israëlische geheime dienst, de Mossad, vormde eveneens een belangrijke bouwsteen in het fort Israël.

Nasser en het Arabisch socialisme

Terwijl de jonge staat Israël zich consolideerde, heerste er verslagenheid in de Arabische wereld. De Arabieren voelden zich vernederd door wat zij de 'ramp van 1948' noemden. Fervente nationalisten riepen om wraak op Israël, de 'zionistische entiteit' die zij niet wensten te dulden. De enige die voordeel leek te hebben behaald uit de oorlog van 1948 was koning Abdoellah van Jordanië. Zijn op Britse leest geschoeide leger had zich meester gemaakt van de Westoever van de Jordaan en Oost-Jeruzalem. Abdoellah neigde tot vrede met Israël. Maar in 1951 werd hij aan de voet van de Al-Aqsa-moskee in Jeruzalem door een extremistisch islamiet vermoord. Zijn kleinzoon Hoessein volgde hem in 1953 op en zou tot zijn dood in 1999 koning blijven.

Egypte was de Arabische staat met de meeste inwoners, strategisch gelegen vanwege het Suezkanaal, dat echter nog altijd in Britse handen was. In 1952 vond er een militaire staatsgreep plaats, die leidde tot de val van de corrupte koning Faroek, een afstammeling van Mohammed Ali. Egypte werd een republiek. Het parlement werd naar huis gestuurd en politieke partijen werden verboden. Na twee jaar trad de jonge kolonel Gamal Abdel Nasser als sterke man naar voren. Nasser ontpopte zich tot militair dictator, die zich geroepen voelde Egypte het leiderschap in de Arabische wereld te bezorgen. Met zijn officieren wilde hij wraak nemen op Israël voor de 'ramp van 1948'. Hij nam dus een felle anti-Israëlische houding aan. Nasser wenste zijn land te bevrijden van buitenlanders. Er heerste onder de bevolking speciaal weerzin tegen de Britse aanwezigheid, zoals in 1952 bleek uit woedende demonstraties en aanvallen op westerse bars, bioscopen en andere symbolen van westerse cultuur. Verder wilde Nasser de miljoenen arme boeren uitzicht geven op een beter bestaan. Ze zouden eigen stukjes grond krijgen, na grootscheepse landhervormingen. Nasser schafte oude titels af, zoals 'bey' en 'pasja'. Hij maakte ook een begin met sociale voorzieningen, en met nationalisaties van grote bedrijven. Dit streven bestempelde hij als 'Arabisch socialisme'. Het was duidelijk dat Nassers ambitieuze plannen de financiële draagkracht van Egypte te boven gingen. Veel bleef onuitgevoerd. Toch bleef hij tot zijn dood populair, niet alleen bij de massa's in eigen land, maar ook in de rest van de Arabische wereld.

De jaren vijftig werden getekend door de Koude Oorlog, de intense spanning tussen het kapitalistische Westen onder leiding van de Verenigde Staten en het communistische Oostblok onder leiding van de Sovjet-Unie. Tegen wil en dank werd het Midden-Oosten – na Oost-Europa en Korea – het derde toneel van de Koude Oorlog. Het lag immers voor de hand dat de Russen gebruik wilden maken van de heftige antiwesterse stemming in de Arabische wereld. Vanaf 1955 leverde de Sovjet-Unie wapens aan Egypte en aan Syrië. Tegelijk wierp Nasser zich op als voorvechter van de onafhankelijkheid van zogenaamde Derde-Wereldlanden. Hij was prominent aanwezig op de conferentie van niet-gebonden landen te Bandoeng (1955), naast leiders als Nehroe (India), Soekarno (Indonesië) en Tito (Joegoslavië). Hun stellingname impliceerde dat zij geen partij zouden kiezen in de Koude Oorlog, maar wel een actieve rol zouden spelen in het proces van dekolonisatie. Deze laatste boodschap kwam over als duidelijk antiwesters.

De Amerikanen voerden een politiek van *containment*, indamming van het communisme. In dat kader trachtten zij allianties te smeden. Eén ervan was het Bagdadpact. Hiertoe traden in 1955 Turkije, Iran, Pakistan, Irak en Groot-Brittannië toe. Nasser zag er een typisch staaltje westers imperialisme in, en veroordeelde de deelnemende Arabische landen fel. Israël was op zijn beurt stevig verbonden aan het westerse kamp. Premier Ben Goerion besefte, dat zijn kleine landje militair en financieel afhankelijk was van de Verenigde Staten. Tegenover de Arabieren volgde hij een harde lijn; hij geloofde niet dat er vrede met de Arabieren mogelijk was en nam ook geen initiatief in die richting. Tussen 1949 en 1956 telde Israël 12.000 Arabische aanslagen en aanvallen, met ruim 1300 doden aan Israëlische kant. Nasser wakkerde die agressie aan, en Israël antwoordde door Egyptische installaties in Gaza onder vuur te nemen. De spanning steeg met het jaar. Zij kwam tot uitbarsting in 1956.

De Suezcrisis van 1956

Nasser was op zoek naar buitenlands geld voor de financiering van een groot project: de Assoeandam in de Nijl. Dit prestigeobject zou vergroting van het landbouwareaal opleveren en het kon Egypte voorzien van de nodige elektrische energie. De Wereldbank en westerse geldschieters leken geïnteresseerd, maar stelden naar Nassers smaak te veel voorwaarden. Tot hun schrik accepteerde deze een Russisch aanbod voor steun. Nasser deed een nog veel driestere stap: in juli 1956 kondigde hij de nationalisatie aan van het Suezkanaal. Dit was een anti-imperialistische provocatie van de eerste orde. Het kanaal was immers hét symbool van westerse overheersing. De tolgelden zouden nu in de Egyptische schatkist vloeien, mede om de Assoeandam te financieren. De Egyptische massa's juichten.

Londen reageerde woedend. Het leek wel of de Britse regering dit afknijpen van de aloude lifeline van zijn wereldrijk opvatte als niets minder dan een daad van castratie, ondanks het feit dat Nasser de Suezkanaalmaatschappij financiële compensatie aanbood. Het Britse prestige was immers geschonden. De Britse premier Anthony Eden stelde Nassers politiek gemakshalve op één lijn met die van Hitler. De westerse fobie werd nog sterker doordat Nasser Duitse oud-nazi's als adviseur in dienst bleek te hebben. Samen met de Fransen en de Israëli's zetten de Britten daarom een krijgsplan op. Israël zou Egypte aanvallen, en vervolgens zouden Britse en Franse militairen posities innemen langs het Suezkanaal. De operatie begon op 29 oktober 1956. Britten en Fransen bombardeerden doelen bij Caïro. Ook voerden zij een invasie uit bij het kanaal. Israël veroverde de Sinaï. Toch werd de operatie een farce. Heel de wereld reageerde verontwaardigd over dit neo-imperialistische optreden van Britten en Fransen. Speciaal Amerika was woedend op zijn beide NAVO-bondgenoten en hun onverantwoordelijke actie. De Sovjet-Unie, die juist druk bezig was de Hongaarse Opstand neer te slaan, liet doorschemeren dat haar raketten Londen zouden kunnen bestoken. Het spookbeeld van een derde wereldoorlog doemde op. Na een week bewerkstelligden de VN een wapenstilstand. Onder sterke Amerikaanse druk trokken Britten en Fransen zich uiteindelijk terug, net als de Israëli's. In 1957 kwamen er VN-blauwhelmen om de Israëlisch-Egyptische grens te beveiligen.

Nasser was de grote winnaar van de Suezcrisis, en dé held van de Arabische wereld. Hij mocht zijn kanaal houden. De Assoeandam kwam enkele jaren later ook tot stand. Dat de Egyptenaren militair geen sterk figuur hadden geslagen, werd gemakshalve vergeten. Het wapenarsenaal werd door de Russen meteen aangevuld. Britse en Franse ingezetenen werden Egypte uitgezet, en duizenden joden werden gedwongen de wijk te nemen naar Israël. Groot-Brittannië leed de meeste schade. Eden werd ongewild de doodgraver van het wereldrijk. Amerika nam de rol van de Britten en Fransen min of meer over. Het ging zich steeds sterker met het Midden-Oosten bemoeien. Het behield zich het recht voor eventueel met behulp van een gewapende macht de territoriale integriteit en politieke onafhankelijkheid van naties te beschermen. Landen die het communisme wilden weerstaan, konden rekenen op economische en militaire hulp. Deze gedragslijn heette – naar de toenmalige Amerikaanse president – de Eisenhowerdoctrine.

Eenheid en verdeeldheid onder de Arabische regimes

Nassers dromen van Arabische eenheid kregen vleugels. In 1958 kwam het tot een fusie van Egypte met Syrië, in de vorm van de Verenigde Arabische Republiek (VAR). Dit leek het begin van de verwezenlijking van een lang gekoesterd ideaal, een groot Arabisch rijk. Uitzinnige menigtes in Damascus juichten Nasser toe. Maar de Syriërs voelden zich al snel overheerst door de duizenden Egyptische functionarissen die er de zaakjes kwamen regelen. Reeds in 1961 trad Syrië weer uit de VAR. Nasser handhaafde de naam VAR voor zijn eigen land, in afwachting van betere tijden. Zijn prestige had een lelijke deuk opgelopen. Daar kwam nog een andere schadepost bij. Rond 1965 liet Nasser namelijk zijn leger zonder veel succes interveniëren in een burgeroorlog die in het Zuid-Arabische Jemen was uitgebroken tussen monarchisten (die steun kregen van Saoedi-Arabië) en republikeinen die Nassers hulp inriepen. Na hevige verliezen verlieten de Egyptenaren in 1968 onverrichter zake het land. De vijandschap tussen radicale en conservatieve regimes binnen de Arabische wereld was duidelijk aangetoond.

Behalve in Egypte, schoot het Arabisch socialisme ook wortel in Syrië en Irak. In beide landen kwam de Baath-partij aan de macht. 'Baath' staat voor wederopleving, en wel van de Arabische natie. De beweging was begonnen in de jaren veertig in Syrië, als een reactie op de Franse overheersing. Zij was tegelijk nationalistisch en socialistisch en predikte het gelijkheidsideaal, zonder religieus onderscheid. Ze wilde af van de grenzen die door de westerse landen getrokken waren, benadrukte de grootsheid van de Arabische cultuur en pleitte voor eerlijker verdeling van de rijkdom en voor betere sociale voorzieningen. Omdat de beweging geen uitgesproken islamitisch stempel droeg, wisten de Baath-politici de grote massa aanvankelijk niet te bereiken. Dat veranderde in de jaren zestig.

Syrië was sinds de onafhankelijkheid in 1946 geteisterd door een reeks militaire staatsgrepen. De politieke instabiliteit had mede geleid tot het avontuur van de VAR. In 1963 kwam de Baath-partij door middel van een staatsgreep aan de macht. Een nieuwe staatsgreep, in 1966, bracht een radicale vleugel van de Baath aan het roer, van wie de luchtmachtcommandant Hafez al-Assad in 1970 als sterke man naar voren trad. Er kwamen enkele radicale maatschappijhervormingen tot stand, zoals de nationalisatie van het bank- en verzekeringswezen. Confrontatiepolitiek met Israël was hét middel om meer eenheid onder de sterk verdeelde Syrische bevolking te verkrijgen. Vanuit de hoofdstad Damascus ondernamen Palestijnse militanten guerrilla-acties op Israël.

In Irak voerde een groep 'vrije officieren' in 1958 een zeer bloedige staatsgreep uit. De hele koninklijke familie werd uitgemoord, wat het einde betekende van het hasjemitische koninkrijk. Irak werd een republiek en wijzigde radicaal van koers. Het regime kondigde grootscheepse landhervormingen af (die mondjesmaat werden uitgevoerd) en de pro-westerse politiek werd vervangen door een oriëntatie op Moskou. Irak trad uit het Bagdadpact (dat vanaf 1959 CENTO ging heten en tot 1979 functioneerde). De eerste tien jaren van de Iraakse republiek werden getekend door machtsstrijd tussen rivaliserende groepen en opstanden zoals van de Koerden in het noorden van Irak. In 1968 greep de Baath-partij, gesteund door delen van het leger, de macht. De nieuwe president Hasan al-Bakr – met in zijn schaduw de jonge Saddam Hoessein – gebruikte de Baath om een netwerk van persoonlijke macht op te bouwen.

Dat de Baath zowel in Syrië als in Irak de macht had, betekende allerminst dat er meer eenheid kwam in de Arabische wereld. In de praktijk voerden de Baath-politici een eng-nationalistische koers. Het ideaal van Arabische eenheid beleden zij slechts met de mond. Tussen Syrië en Irak heerste bittere rivaliteit. Naast de min of meer socialistisch gezinde nasseristen en baathisten bleef in het Midden-Oosten ook een aantal conservatieve regimes overeind, zoals in het Jordanië van koning Hoessein, in Saoedi-Arabië (waar na 1953 de zoons van Ibn Saoed achtereenvolgens de troon bestegen) en in de Golfstaten. Het veelvuldig met de mond beleden ideaal van de Arabische eenheid bleef een hersenschim. Het enige bindende element in de Arabische wereld was de haat tegen Israël.

De Zesdaagse Oorlog van 1967 en de gevolgen

In het voorjaar van 1967 bereikte de spanning tussen Israël en zijn buurstaten een hoogtepunt. Het aantal grensincidenten nam sterk toe. Joodse nederzettingen in Galilea werden bestookt vanaf de Syrische Golanhoogte. Israëlische gevoelens van paranoia werden aangewakkerd door de gedachte dat een mogelijke Arabische federatie of eenheidsstaat met een sterk leger het nietige joodse staatje zou kunnen verpletteren. Officiële Arabische persorganen in Egypte, Syrië en Irak spiegelden Israël af als de voorpost van het westers imperialisme en riepen hun publiek op om 'de joden de zee in te drijven'. Zij meenden zeker te weten dat Israël streefde naar gebiedsuitbreiding.

In mei 1967 waarschuwden de inlichtingendiensten van de Sovjet-Unie (naar later bleek op grond van speculatie) voor een mogelijke Israëlische actie tegen Syrië. Dit land deed een beroep op Egypte voor hulp.

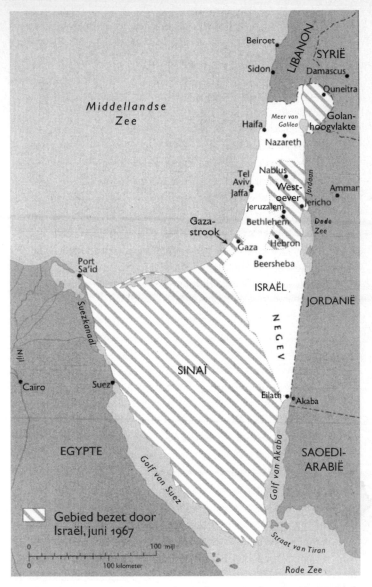

Israël en de bezette gebieden na de Zesdaagse Oorlog. De Sinaï (niet de Gazastrook) werd aan Egypte teruggegeven bij het Egyptisch-Israëlisch verdrag van 1979.

Nasser, die na het debacle van de VAR en van de interventie in Jemen wel toe was aan een succes in de buitenlandse politiek, mobiliseerde zijn leger in de Sinaï. Hij vroeg aan de Verenigde Naties om de blauwhelmen weg te halen van de Egyptisch-Israëlische grens, wat prompt gebeurde. Koning Hoessein van Jordanië tekende eind mei haastig een defensieverdrag met Egypte, waar Irak zich meteen bij aansloot. Bovendien sloot Nasser de Straat van Tiran, de uitgang van de Golf van Akaba, af voor Israëlische schepen. Dit was voor Israël de enige directe zeeverbinding met de rest van Azië, via de havenstad Eilath in het zuidpuntje van de Negevwoestijn; het Suezkanaal was immers verboden vaargebied.

Blufpoker of niet, voor Israël waren deze Arabische stappen evenzovele signalen dat de vijand op het punt stond aan te vallen. Daarom besloot het Israëlische kabinet onder Levi Esjkol om zelf de eerste klap uit te delen. Op 5 juni 1967 viel het Israëlische leger de buurlanden aan. Op de allereerste dag werd de luchtmacht van Egypte al uitgeschakeld, gevolgd door de luchtstrijdkrachten van Syrië en Jordanië. Daarop versloegen de Israëli's de Egyptische landmacht in de Sinaï. Nassers troepen moesten zich in allerijl terugtrekken achter het Suezkanaal. Jordanië werd verdreven tot over de Jordaan. Ten slotte veroverden Israëlische troepen de Golanhoogte op Syrië. In zes dagen tijd was dit alles gebeurd.

Met de uitkomst van deze Zesdaagse Oorlog plaatste Israël de wereld voor voldongen feiten. Heel het schiereiland Sinaï, inclusief de Gazastrook, was buitgemaakt, net als de Westelijke Jordaanoever met Oost-Jeruzalem, en de Golan. De verovering van de oude stad van Jeruzalem, met de Klaagmuur, was van emotionele betekenis voor de joden. De Israëlische regering liet weten deze stad nooit meer op te geven. Door de verovering van de Westoever en de Gazastrook kwamen nu ongeveer anderhalf miljoen Palestijnen die daar woonden, onder Israëlische bezetting te leven. Er was ook een nieuw vluchtelingendrama bijgekomen: naar schatting 300.000 Palestijnen weken van de Westoever en Gaza uit naar Jordanië, en tachtigduizend Syriërs verlieten de Golan.

In november 1967 nam de Veiligheidsraad van de VN resolutie 242 aan. Zij eiste terugtrekking van Israëlische strijdkrachten uit bezette gebieden (in de Franse vertaling van de resolutietekst stond: de bezette gebieden); en erkenning van de soevereiniteit, territoriale integriteit en politieke onafhankelijkheid van alle staten in het betrokken gebied en van hun recht in vrede te leven binnen veilige en erkende grenzen; en bevestigde de noodzaak van een rechtvaardige regeling voor het vluchtelingenvraagstuk.

Het principe 'land voor vrede' werd uitgangspunt van de zoektocht naar vrede. Israël verklaarde zich bereid de bezette gebieden (behalve Jeruzalem) terug te geven, in ruil voor erkenning en vrede. In de Arabische wereld bestond er echter geen enkele bereidheid om hierop in te gaan. Op de Arabische topconferentie van september 1967 te Khartoum (dus nog vóór resolutie 242) trokken de leiders, radicaal en conservatief, één lijn, 'de drie nee's': geen onderhandelingen met Israël, geen vrede en geen erkenning. De VN-resolutie is dan ook nooit uitgevoerd, en dit vormt een van de hete hangijzers in de discussie over Israël.

De overwinning in de Zesdaagse Oorlog gaf aan Israël overmatig zelfvertrouwen. Een zekere arrogantie verminderde de compromisbereidheid. Triomferende generaals zoals Ariel Sharon werden nationale helden. Dit had belangrijk gevolgen. Naast het veiligheidsmotief gingen in de Israëlische politiek ook religieuze en nationalistische motieven een grote rol spelen. De bereidheid de bezette gebieden op te geven nam snel af. De Westoever van de Jordaan, voor orthodoxe joden het bijbelse Judea en Samaria, vormde in hun ogen een integraal onderdeel van Israël.

Diep was de verslagenheid bij de tegenstanders. Er waren twaalfduizend Egyptische doden te betreuren (tegenover duizend Israëli's), en 80 procent van de strijdkrachten was vernietigd. Het Suezkanaal was frontlinie geworden en onbruikbaar voor de scheepvaart, zodat het moest worden gesloten. Syrië telde 2500 doden. Nasser kwam de klap van de nederlaag van 1967 niet meer te boven. In tranen bood hij voor de tv zijn ontslag aan, maar massale betogingen deden hem van dit besluit terugkomen. Zijn ster was echter gedoofd. In 1970 overleed hij plotseling. Ook de regimes van Syrië en Irak (dit land was te laat gekomen) hadden gezichtsverlies geleden, hetgeen bijdroeg tot de machtsovername van Assad in Syrië en tot de coup van de Baath in Irak, beide kort na de Zesdaagse Oorlog. In Libië werd in 1969 de koning afgezet door een groep officieren onder leiding van de toen 27-jarige kolonel Moammar Khadaffi. Alles duidde op radicalisering van de Arabische regimes. En nu kwamen ook de Palestijnen in beweging.

De opkomst van de PLO

Tot aan de Zesdaagse Oorlog hadden de Palestijnen min of meer lijdzaam gewacht op het moment dat de Arabische landen Israël militair zouden hebben verslagen. Hoewel veel Palestijnen zich hadden gevestigd in de buurlanden (tot in Saoedi-Arabië en Koeweit toe), bleef het grootste deel wonen in de vluchtelingenkampen van de UNRWA. Aanvankelijk waren het tentenkampen; geleidelijk werden er woningen van baksteen of beton gebouwd en kwamen er scholen, fabriekjes, hospitalen en andere voorzieningen. Maar de levensomstandigheden bleven vaak erbarmelijk slecht. In 1968 stonden er ongeveer 1,3 miljoen Palestijnse vluchtelingen bij de UNRWA geregistreerd, inclusief diegenen die na de Zesdaagse Oorlog waren uitgeweken. De Arabische landen gaven de Palestijnse vluchtelingen nauwelijks kans te integreren in hun samenlevingen. Alleen in Jordanië kregen Palestijnen het staatsburgerschap en vonden de meesten werk.

Door de nederlagen van de Arabische legers tegen Israël hadden veel Palestijnen geen zin meer om nog langer te wachten op effectief optreden van de Arabische landen. Zij wilden nu het lot in eigen handen nemen. Er ontwikkelde zich een afzonderlijk Palestijns nationalisme. Reeds in 1964 was op initiatief van de Arabische Liga de PLO opgericht, de Palestinian Liberation Organization. Haar handvest noemde Palestina een onverbrekelijke eenheid; guerrilla-actie vormde de kern van de bevrijdingsoorlog, een nationale plicht om de 'zionistische imperialistische invasie' terug te drijven. De deling van Palestina en de vestiging van de staat Israël werden nietig verklaard, aangezien die in strijd waren met de wens van het Palestijnse volk. Het ideaal van de PLO was een seculiere staat Palestina waarin moslims, joden en christenen zouden samenleven.

Los van de PLO waren er enkele Palestijnse guerrillaorganisaties actief, zoals El-Fatah ('de overwinning') van Jasser Arafat en het marxistische Volksfront voor de Bevrijding van Palestina van George Habasj. Deze laatste predikte niet alleen de bevrijding van Palestina, maar ook de revolutie tegen de conservatieve Arabische regimes. El-Fatah groeide na een bescheiden begin uit tot de belangrijkste gevechtsgroep. Haar leider, Arafat (1929), had elektrotechniek gestudeerd in Caïro, waar hij als springstoffenexpert deelnam aan de strijd tegen Britten en Fransen. Na de Suezcrisis van 1956 vestigde hij zich (tot 1964) als aannemer in Koeweit. In 1964 nam hij de leiding op zich van El-Fatah. In korte tijd bouwde hij die uit tot de belangrijkste Palestijnse guerrillaorganisatie. Veel jonge Palestijnen sloten er zich na 1967 bij aan. In 1969 kreeg Arafat ook de leiding over de PLO, waardoor er praktisch een fusie tot stand kwam tussen El-Fatah en de PLO. Het Volksfront ging ook opereren onder de hoede van de PLO, maar trok zich vaak niets aan van de PLO-richtlijnen.

De PLO hield zich niet alleen bezig met het trainen van guerrillastrijders; zij organiseerde ook de bouw van scholen, hospitalen en bedrijven in de vluchtelingenkampen. Geleidelijk aan werd zij door velen gezien als de regering in ballingschap voor de Palestijnen, en wist zij bij hen een nationaal besef aan te kweken. De PLO en het Volksfront wilden met hun terroristische acties de aandacht van de wereld vestigen op het droeve lot van de Palestijnen. Dat die een vergeten groep waren, viel op te maken uit uitspraken zoals van de Israëlische premier Golda Meir: 'Palestijnen? Ik ken geen Palestijnen!' Begin jaren zeventig pleegden Palestijnse guerrillastrijders een reeks van aanslagen op Israëlische doelen. Het leek wel een epidemie. Vliegtuigkapingen, overvallen op cruiseschepen, bloedbaden op vliegvelden en zelfmoordaanslagen op Israëlische bodem zorgden bij herhaling voor schokkend wereldnieuws.

In Jordanië kwam het in 1970 tot een uitbarsting tussen de regering en de PLO-strijders. Dit land bestond voor tweederde uit inwoners van Palestijnse afkomst. De Palestijnse commando's vormden een staat in de staat, en een directe bedreiging voor de wankele troon van koning Hoessein. Die vreesde bovendien wraakacties vanuit Israël. In september 1970 liet Hoessein in één klap weten wie er de baas was. Met veel bloedvergieten verdreef zijn leger de PLO-commando's uit de hoofdstad Amman. Ook liet hij zijn luchtmacht de vluchtelingenkampen bestoken. Er vielen drieduizend doden, zodat men sprak van 'Zwarte September'. De PLO-leiding trok grotendeels weg uit Jordanië, om neer te strijken in Libanon.

Een van de beruchtste Palestijnse terreuracties was de gijzeling van de Israëlische atletiekploeg tijdens de Olympische Spelen in München in 1972, door een groep die zich Zwarte September noemde. Elf Israëli's vonden de dood tijdens een mislukte bevrijdingsoperatie. De Israëlische luchtmacht nam doorgaans wraak op de terreuracties door bombardementen uit te voeren op Palestijnse doelen in Jordanië en Libanon, waarbij ontelbare slachtoffers vielen.

De Oktoberoorlog en de oliecrisis 1973

Na de dood van Nasser in 1970 werd diens vertrouweling Anwar Sadat de nieuwe president van Egypte. Sadat nam meer afstand van de broodheren in Moskou dan Nasser had gedaan. Omdat de Sovjet-Unie weigerde moderne wapens te leveren, zette hij in 1972 de Russische adviseurs pardoes het land uit. Egypte zocht toenadering tot Amerika en tot de conservatieve olierijke Arabische staten zoals Saoedi-Arabië. Juist vanwege die relatief gematigde koers van Egypte rekende niemand in Israël op een aanval vanuit de Arabische buurlanden.

In oktober 1973 kwam die er toch. Sadat wilde de patstelling doorbreken die was ontstaan na de Zesdaagse Oorlog. Het Suezkanaal was nog altijd gesloten, en Egypte miste de broodnodige inkomsten uit tolgelden, toerisme en buitenlandse investeringen. Sadat, niet al te populair in eigen land, vond dat hij een daad moest stellen om die situatie te veranderen.

Egypte en Syrië smeedden een plan voor gezamenlijke actie. Op de joodse feestdag van Jom Kippoer (Grote Verzoendag), 6 oktober 1973, een dag waarop veel Israëlische dienstplichtigen met verlof waren, zetten zij de aanval in. Tachtigduizend Egyptische soldaten staken het Suezkanaal over en hun tanks rolden de Sinaï in. Voor het eerst in 25 jaar kon het Egyptische leger een overwinning op Israël melden. Op hetzelfde moment doorbraken Syrische manschappen de linies van de Golanhoogte. Groot was de paniek in Israël. De inlichtingendienst bleek te hebben gefaald; het naakte bestaan stond op het spel. IJlings werden alle reservisten opgeroepen en in Washington stonden de telefoons met verzoeken om wapens roodgloeiend. Dat had effect. Via een groots opgezette Amerikaanse luchtbrug werden de noodzakelijke tanks en andere wapens ingevlogen. Vervolgens keerden de krijgskansen. Generaal Sharon stak zelfs met zijn troepen het Suezkanaal over, tot op schietafstand van Caïro, en sneed het Egyptische leger af. Tegelijkertijd heroverden Israëli's de Golan. De weg naar de Syrische hoofdstad Damascus lag open.

Omdat de Sovjet-Unie dreigde militair tussenbeide te komen, spande de Amerikaanse regering zich tot het uiterste in om Israël te bewegen pas op de plaats te maken. De Veiligheidsraad van de VN nam Resolutie 338 aan, met de eis van onmiddellijk staakt-het-vuren en het aanknopen van onderhandelingen. Onder toezicht van VN-officieren kwam het tot een wapenstilstand, na drie weken vechten. De Oktoberoorlog of Jom Kippoeroorlog ('Ramadanoorlog' volgens de islamieten) was voorbij. Niemand had gewonnen. Israël rouwde om 2500 doden, het grootste aantal slachtoffers sinds zijn bestaan. Egypte verloor 7700 man en Syrië 3500.

Tijdens de oorlog ontdekten de Arabische landen dat zij een machtig wapen in handen hadden: olie. De Arabische lidstaten van de OPEC (de organisatie van olie–exporterende landen) spraken een productievermindering af, verhoogden de olieprijzen drastisch, en stelden een olieboycot in tegen landen die Israël steunden, zoals de Verenigde Staten en Nederland. In een jaar tijd steeg de prijs van een vat ruwe olie van 2,74 naar 11,65 dollar. De oliecrisis leidde tot mega-inkomsten voor de oliestaten, en tegelijk tot een economische inzinking in de westerse wereld, die de hele jaren zeventig zou aanhouden. Woordvoerders van veel westerse landen realiseerden zich hoe afhankelijk hun economieën in de eeuw van de auto waren van lage olieprijzen. Ze lieten zich (in Israëlische ogen) chanteren tot min of meer openlijke anti-Israëlische en pro-Palestijnse uitspraken. Voor Amerika vormde de oliecrisis een voorname factor om zich actiever te gaan inzetten voor een vredesregeling.

Stemmingen in de VN bevestigden de omslag in de wereldopinie. Israël werd steeds meer het zwarte schaap. Arafat mocht (met zijn pistool op zak) in 1974 triomfantelijk een toespraak houden in de Algemene Vergadering van de VN, toegejuicht door de landen van het Oostblok en de Derde Wereld. In 1975 nam dit orgaan zelfs een resolutie aan die het zionisme bestempelde als een vorm van racisme. Gezien het traumatische joodse verleden was dit in de ogen van de Israëli's een ongehoord schandaal. Het scheelde niet veel of Israël was uit de VN gestoten.

Likoed aan de macht; joodse nederzettingen op de Westoever en in Gaza

Tot 1977 bleef de gematigd-linkse Arbeidspartij (waarin de Mapai in 1968 was opgegaan) aan de macht in Israël. Bij de verkiezingen van dat jaar werd de partij van premier Golda Meir (1969-1974) en haar opvolger Yitzjak Rabin (1974-1977) afgerekend op de onachtzaamheid die het land in oktober 1973 op de rand van de afgrond had gebracht. De partij was vanaf de stichting van Israël onafgebroken regeringspartij geweest en zij kreeg de schuld van veel corruptie, bureaucratie en nepotisme; veel kiezers waren erop uitgekeken. De Arbeidspartij vond haar aanhangers voornamelijk onder de asjkenazim, Israëli's met een Europese achtergrond. Hoewel de Arbeidspartij ernaar streefde op enigerlei wijze on speaking terms te komen met de Arabieren, bleek daarvan in de praktijk maar weinig.

Tegenover deze partij stelde zich het rechtse Likoed-blok op, dat veel stemmen trok van de sefardim, de joodse immigranten uit de Arabische landen en hun nakroost. Likoed was een samengaan van de uiterst nationalistische Heroet-partij en enkele partijen uit het politieke centrum. De aanhangers stonden een harde lijn voor tegenover de Arabieren. De terroristische acties van de Palestijnen en de wijze waarop Jasser Arafat – in Israëlische ogen de baarlijke duivel – de show stal op de wereldpodia, speelden de partij in de kaart.

De verkiezingsuitslag van 1977 vormde een politieke aardverschuiving. Likoed won overtuigend. De voormalige Irgoen-terroristenleider Menachim Begin werd de nieuwe premier. Zijn leven lang was hij al een aanhanger van het revisionistisch zionisme, dat de Groot-Israëlgedachte propageerde. Voor de vrede in het Midden-Oosten voorspelde dit niet veel goeds. Begin liet weten nieuwe joodse nederzettingen te gaan bouwen op de Westoever en in de Gazastrook, midden in de bezette gebieden tussen de Palestijnen in. Reeds vanaf 1967 waren fanatieke zionisten, zoals leden van Goesj Emoniem, (het Blok der Gelovigen), op eigen houtje begonnen met het koloniseren van de 'bevrijde gebieden', die voor hen immers heilige bodem vormden. Ook de Arbeidspartij had overigens de kolonisatiebeweging gesteund. Met royale subsidies, onder meer van orthodoxe joden uit de Verenigde Staten, namen de kolonisten de bouw van nederzettingen ter hand. Hun doel was de 'verjoodsing' van deze gebieden. Zo confronteerden zij de Palestijnen met voldongen feiten, die zouden verhinderen dat de optie 'land-voor-vrede' van VN-resolutie 242 ooit weer serieus kon worden overwogen. Vrede met de Arabieren leek nu verder weg dan ooit.

Maar weldra gebeurde er iets totaal onverwachts.

De akkoorden van Camp David 1978

Na de wapenstilstand van 1973 was Amerika (in de persoon van minister van Buitenlandse Zaken Henry Kissinger) doorgegaan met 'pendeldiplomatie': Kissinger reisde op en neer van Egypte naar Israël om te pogen de wapenstilstandsbesprekingen om te zetten in gesprekken over duurzame vrede. In 1975 werd het Suezkanaal weer opengesteld voor de scheepvaart, een belangrijke mijlpaal. Voor Egypte was dit niet genoeg. President Sadat, die in eigen land geconfronteerd werd met broodrellen en constant op zijn hoede moest zijn voor nog meer binnenlandse onrust, besefte dat al zijn economische liberaliseringsmaatregelen bij lange niet het gewenste effect sorteerden. Er moest iets gebeuren, liefst iets spectaculairs zoals het beëindigen van de geldverslindende oorlogstoestand die al dertig jaar duurde.

Eind 1977 deed Sadat die stap. Hij bood aan naar Jeruzalem te reizen en de Knesset toe te spreken. Aldus geschiedde, voor de verwonderde ogen van miljoenen tv-kijkers, die zagen hoe Sadat zijn oude vijanden de hand schudde. De doorbraak werd alom met gejuich ontvangen, behalve in de radicale Arabische landen en bij de Palestijnen. Toen onderhandelingen over vrede niet vlotten, nodigde de Amerikaanse president Jimmy Carter Sadat en Begin persoonlijk uit op zijn buitenverblijf Camp David. Na dertien dagen onderhandelen kwamen beide staatslieden daar in 1978 tot een reeks akkoorden: wederzijdse erkenning, een vredesverdrag waarbij Israël de Sinaï zou teruggeven en Israël vrijelijk door het Suezkanaal en de Golf van Akaba zou mogen varen, en een beperkte vorm van zelfbestuur voor de Palestijnen in bezet gebied. Israël ontruimde de Sinaï in fasen, tot het proces in 1982 was voltooid. Uitgerekend de 'havik' Sharon, voorstander van nederzettingen op de Westoever, liet in zijn hoedanigheid van minister van Defensie de laatst overgebleven joodse kolonisten met militaire middelen uit de Sinaï verwijderen.

De onderhandelingen over Palestijns zelfbestuur – toch al vaag geformuleerd – raakten spoedig in het slop. Palestijnen waren weer eens de vergeten groep. De meeste Arabische landen noemden Sadat een verrader en zij verbraken de betrekkingen met Egypte. Het land werd zelfs uit de Arabische Liga gezet. De olie-exporterende landen trokken hun subsidies in, zodat Egypte nog meer afhankelijk werd van Amerikaanse steun.

De fanatieke Libische leider Khadaffi presenteerde zich als een nieuwe Nasser en voerde een felle scheldcampagne tegen Sadat. Hij verleende trainingsfaciliteiten aan terroristische groeperingen van alle windstreken (PLO, IRA, RAF, ETA). Sadat moest zijn verzoeningspolitiek met de dood bekopen. In 1981 schoten moslimextremisten hem dood tijdens een militaire parade. Zijn opvolger Hosni Moebarak, vice-president onder Sadat, handhaafde de vrede met Israël, maar nam een afstandelijker houding aan tegenover dit land. Voorzichtig wist hij de relaties met de andere Arabische landen te normaliseren, zodat Egypte weer lid werd van de Arabische Liga.

De Libanese burgeroorlog 1975-1982

Libanon, met zijn gemengde bevolking van christenen en moslims, was in de vier oorlogen om Israël feitelijk neutraal gebleven. Libanon werd wel het 'Zwitserland van het Midden-Oosten' genoemd; Beiroet was het centrum van internationale geldhandel. De stad vertoonde een multireligieus mozaïek. Maar de toenemende welvaartsverschillen veroorzaakten sociale spanningen. Reeds eenmaal, in 1958, waren die tot uitbarsting gekomen in een korte maar hevige burgeroorlog, die werd beëindigd door een interventie van Amerikaanse troepen.

De komst van duizenden PLO-strijders in 1970-1971 verstoorde het wankele evenwicht tussen de bevolkingsgroepen definitief. Zij voegden zich bij de 300.000 Palestijnen die in kampen in Zuid-Libanon woonden. Die streek werd al snel Fatah-land genoemd, omdat de guerrillastrijders de kampen als uitvalsbases gebruikten voor aanvallen op Noord-Israël.

In 1975 brak er een burgeroorlog uit. Een coalitie van pro-Palestijnse links-islamitische groepen stond tegenover een front van anti-Palestijnse christelijke milities (zoals de falangisten). Beide partijen bestookten elkaar in artillerieduels vanuit huizenblokken in Beiroet. Het kosmopolitische stadscentrum veranderde grotendeels in een verzameling zwartgeblakerde ruïnes. In 1976 stuurde president Assad van Syrië troepen die – tot veler verbazing – de christenen assisteerden in hun benarde positie en de strijd aanbonden met PLO-eenheden. Een 'overredingsmacht' van de Arabische Liga, grotendeels bestaande uit Syrische troepen, moest vervolgens een wankel bestand bewaken. In 1978 bezette Israël na de zoveelste PLO-terreurdaad tijdelijk een strook land in Zuid-Libanon. Onder internationale druk trok Israël zich na drie maanden terug, waarna een VN-troepenmacht, Unifil, de bestandslijn ging bewaken.

In 1982 verordonneerde premier Begin, na Palestijnse beschietingen, opnieuw een inval in Libanon, ditmaal grootscheeps, en met het doel om de Palestijnen uit het land te verdrijven. Daarmee zouden de Palestijnen in de bezette gebieden een belangrijk steunpunt kwijtraken. De operatie onder de cynische naam 'Vrede voor Galilea' betekende feitelijk voor de vijfde maal een openlijk uitgevochten oorlog tussen Israël en zijn Arabische buren. Israël belegerde West-Beiroet en bestookte de stad met bommen en granaten, waarbij meer dan zevenduizend doden vielen, voornamelijk burgerslachtoffers. Arafat en de PLO zagen zich gedwongen uit te wijken naar Tunesië. Kort daarop richtten christelijke falangisten, als represaille voor de moord op de pasbenoemde Libanese president, een bloedbad aan onder Palestijnse vluchtelingen in de kampen Sabra en Chatila, vlak bij Beiroet. Nabijgelegen Israëlische troepen deden niets om het bloedbad te voorkomen of te stoppen. De Israëlische defensieminister Sharon moest als medeverantwoordelijke aftreden, nadat de Israëlische vredesbeweging Vrede Nu massademonstraties tegen hem had georganiseerd. Ook Begin trad af, na hevige kritiek op de offers die het Libanese avontuur had gekost. In 1983 trok Israël zich uit Libanon terug, op een 'veiligheidszone' na, die het in 2000 prijsgaf. De interventie in Libanon veroorzaakte diepe verdeeldheid onder de bevolking van Israël. Leden van Vrede Nu betreurden dat Israëls morele blazoen niet langer onbevlekt was, een constatering waar Israëls vijanden en slachtoffers reeds decennia eerder aan toe waren.

De burgeroorlog had het leven gekost aan dertig- tot veertigduizend mensen. Beiroet-centrum was totaal aan flarden geschoten. Er waren ook ontvoeringen van Libanese en westerse burgers. Pas in 1992 kwam de laatste gijzelaar vrij. De meeste gijzelaars werden opgepakt door radicale sjiitische Hezbollahstrijders ('mannen van God') die bewapend werden door Iran.

De islamitische revolutie in Iran

In Iran voltrok zich in 1979 een omwenteling. De pro-westerse, dictatoriaal regerende vorst, sjah Mohammed Reza Pahlavi, kwam ten val. Hij was al aan het bewind vanaf 1941. Irans olievoorraden werden door buitenlandse firma's geëxploiteerd. Toen de Iraanse premier Mohammed Mossadeq in 1951 de Anglo-Iranian Oil Company had genationaliseerd, stelden de Britten een boycot in tegen Iran. De spanningen en de nijpende economische situatie leidden in 1953 tot een – door de Amerikaanse CIA gesteunde – coup tegen Mossadeq. Deze werd met goedkeuring van de sjah afgezet. Tientallen jaren lang was de sjah vervolgens de trouwe vazal van de Verenigde Staten, die hem overlaadden met militaire hulp. Het leger was zijn troetelkind en tegelijk zijn steunpilaar. In de jaren zeventig was het Iraanse leger het op vier na grootste ter wereld, uitgerust met de modernste snufjes. Veel islamitische onderdanen ergerden zich aan de fascinatie van de sjah met die westerse speeltjes.

De sjah wilde zijn land opstoten in de vaart der volkeren. Hij doopte zijn ambitieuze programma de Witte Revolutie. Een grootscheepse landhervorming moest de boeren van eigen lapjes grond voorzien. Een heel legertje idealisten ging erop uit om het analfabetisme uit te roeien. Er kwamen hospitalen en moderne industrieën. De vrouwen van Iran genoten gelijke rechten, en kregen betere toegang tot opleidingen en banen dan ooit tevoren. Dit alles maakte de sjah nog niet populair. Hij zwolg in grootheidswaanzin, zoals bleek bij de pompeuze ceremonies ter gelegenheid van het 2500-jarig bestaan van Iran in 1971. Dat zijn veiligheidsdienst, de Savak, genadeloos jacht maakte op dissidenten, zag men in het Westen lange tijd door de vingers.

Er groeide een bonte oppositie, van linkse studentenbewegingen tot en met orthodoxe islamieten. Onder de sjiitische geestelijken, zoals de in ballingschap levende ayatollah ('oog van God') Ruhollah Khomeiny, was het verzet groot. Zij wezen de westerse koers principieel af en verzetten zich tegen de secularisering van de wetgeving die hun positie had aangetast. De ontevredenheid zwol in 1978 aan tot een volksopstand, waarop de strijdkrachten dermate bloedig inhakten, dat dit nog veel meer demonstranten de straat op dreef, totdat er in december twee miljoen mensen demonstreerden. Er was geen houden meer aan.

Begin 1979 ontvluchtte de sjah zijn land. Khomeiny keerde terug uit ballingschap, toegejuicht door miljoenen. Hij vestigde onmiddellijk een streng-islamitische theocratie. De islamitische republiek werd uitgeroepen. Tal van voormalige politici werden geëxecuteerd. Alles wat de sjah had ingevoerd, werd nu taboe verklaard. De sharia werd streng toegepast. Voor misdadigers kwamen zware lijfstraffen. Bioscopen werden gesloten, alcoholgebruik en prostitutie werden verboden. Vrouwen moesten weer gehuld in de chador over straat, het traditionele gewaad dat slechts het gezicht onbedekt liet. Een strenge zedenpolitie waakte over de juiste vrouwenkleding. Hoe stevig het bewind der ayatollahs in het zadel zat, viel in 1979 nog niet uit te maken. De chaos was aanvankelijk groot; de fundamentalisten leken een strijd op leven en dood uit te vechten met gematigde leiders, en Khomeiny gaf slechts algemene richtlijnen.

Omdat Amerika weigerde de gevluchte, inmiddels doodzieke sjah uit te leveren, ging een groep fanatieke fundamentalisten over tot gijzeling van het personeel van de Amerikaanse ambassade in Teheran. Die actie duurde 444 dagen, een vernedering voor de Verenigde Staten. Een militaire bevrijdingsactie in 1980 mislukte. Vlak voor zijn dood in 1989 vaardigde Khomeiny nog per fatwa (uitspraak) een doodvonnis uit tegen de Britse schrijver Salman Rushdie vanwege vermeende godslasterlijke passages in diens boek *De Duivelsverzen*. De Rushdie-affaire verziekte jarenlang de toch al zeer slechte relatie van Iran met het Westen.

Islamfundamentalisme in Turkije en Egypte

Voor radicale moslims in de Arabische wereld was de islamitische revolutie in Iran een inspirerend voorbeeld. Het moslimfundamentalisme werd een soort exportartikel, tot afgrijzen van het Westen, maar ook van

Moskou. Het fenomeen vond elders in het Midden-Oosten, Afrika en Azië een vruchtbare voedingsbodem in de armoede van de massa's en het gebrek aan sociale voorzieningen aldaar. Ook de ergernis van moslims over wat zij zagen als uitingen van westers cultuurimperialisme, en over het luxe leventje van leden van de heersende bovenlaag, vormde koren op de molen van fundamentalistische imams.

Illustratief was de situatie in Turkije. Dit land had na de dood van Kemal Atatürk afwisselend periodes gekend van min of meer democratisch, en van autoritair bestuur. Enkele malen pleegden de leiders van de strijdkrachten een staatsgreep. Militairen wierpen zich doorgaans op als herstellers van de orde, en als verdedigers van het kemalisme, dus van de seculiere staat, gevormd naar Europees model. De problemen van Turkije stapelden zich echter op: explosieve bevolkingsgroei naast stagnerende economische resultaten (met als gevolg massale migratie naar Europa vanaf 1960), opstandigheid van de Koerden, en politiek extremisme van links en van rechts. De lokroep van het islamfundamentalisme werd vooral na 1980 gehoord. In de jaren negentig vertaalde zich dit in overwinningen voor de islamitische partijen. Deze dankten hun succes aan de legalisering van islamscholen die een enorme aantrekkingskracht uitoefenden op de niet-rijken. In 1995 kwam de Welvaartspartij van Necettin Erbakan aan de macht, op een program dat herstel van islamwaarden beloofde. Vrouwen zouden weer gesluierd mogen gaan. Deze ontwikkeling werd in 1997 afgebroken door een nieuwe militaire interventie, maar in 2002 behaalde een nieuwgevormde islamitische partij, de Gerechtigheids- en Ontwikkelingspartij AKP van Tayyip Erdogan, een klinkende overwinning. De vraag kon gesteld worden of Kemals seculiere republiek dit keer echt gevaar liep.

Het tweede voorbeeld was het Egypte van Moebarak (vanaf 1981), ook een seculiere staat sinds Nassers hervormingen in de jaren vijftig. Net als in Turkije vormden in Egypte de islamitische organisaties vrijwel het enige legitieme voertuig voor opposanten die hun stem wilden verheffen tegen het heersende wanbeleid, de economische stagnatie en de corruptie die men de leidende kringen kon verwijten. Al decennialang was hier de Moslim Broederschap actief. In de jaren tachtig en negentig kreeg die organisatie een enorme toeloop van aanhangers, niet het minst omdat zij een heel netwerk van hospitalen, liefdadigheidsinstellingen en rechtswinkels beheerde. Dit toonde ook het onvermogen aan van de regering-Moebarak om de grote meerderheid van de zeventig miljoen Egyptenaren een menswaardig bestaan te garanderen. De regering trad bijzonder streng op tegen uitingen van moslimfundamentalisme, die in Egypte veelal een gewelddadig karakter droegen; vooral wanneer fundamentalisten zich tegen westerse toeristen richtten, zoals in 1997 toen een aanslag op een bus in Luxor het leven kostte aan 58 toeristen. De repressie die daarop volgde, trof ook gematigde fundamentalistische organisaties. Maar alle pogingen het fenomeen de kop in de drukken leken averechts te werken: de Moslim Broederschap won aan populariteit.

Palestijnen: de eerste intifada 1987-1993

Voor Palestijnen in hun wanhopige situatie bood het fundamentalisme een bijkomend motief om de staat Israël te bestoken. Eind 1987 brak er een opstand uit in de door Israël bezette gebieden: de intifada ('het zich weer oprichten'). De actie begon in Gaza, en verspreidde zich over de steden van de Westoever. Zij vormde een protest tegen de nederzettingenpolitiek. Die werd door Begins opvolger premier Yitzjak Shamir (1986-1992) van Likoed voortgezet. Als jonge man was Shamir lid was geweest van de terroristische Irgoen en Stern-groep, en net als Begin streefde hij ernaar het bijbelse Judea en Samaria voorgoed bij Israël te voegen. Er kwamen steeds meer obstakels voor Palestijnen die zich in de bezette gebieden wilden verplaatsen. Zij voelden zich beroofd van elementaire rechten.

Jonge Palestijnen wierpen molotovcocktails, en slingerden stenen naar de Israëlische soldaten. Israël, dat op het slagveld onverslaanbaar was, toonde een kwetsbare plek. Het wist geen beter antwoord te verzinnen dan er ongenadig op los te meppen. Honderden Palestijnen werden gedood, duizenden raakten gewond. Huizen van oproerkraaiers werden met bulldozers vernietigd, boomgaarden omgehakt. Televisiebeelden van zwaarbewapende Israëlische soldaten die de botten braken van jonge Palestijnen, gingen over de wereld. Een slechtere publiciteit was niet denkbaar. Israël kreeg een storm van kritiek te verduren.

Namens de intifadastrijders formuleerde een groep prominente Palestijnen concrete eisen: stopzetting van de bouw van nederzettingen en erkenning van een onafhankelijke Palestijnse staat. Om de eisen kracht bij te zetten, gingen Palestijnen massaal in staking, sloten hun winkels, of namen ontslag uit Israëlische overheidsdienst. Er kwam ook een nieuwe organisatie op, Hamas (afkorting van Islamitische Verzetsbeweging). Zij was voortgekomen uit de Moslim Broederschap van Gaza en propageerde een islamitisch radicalisme, dat de PLO vreemd was. Onder geen beding wenste Hamas de realiteit van het bestaan van de staat Israël te accepteren.

Hamas dreigde een concurrent voor de PLO te worden. Vanuit zijn ballingsoord in Tunesië moest Arafat daarom het initiatief wel overnemen. Hij was juist bezig zijn PLO om te vormen van een terreurorganisatie tot een politieke beweging, om een wit voetje te halen in grote delen van de wereld, wat hem aardig lukte. Zelfs de paus uitte zijn sympathie met de Palestijnen. Eindelijk drong het besef door dat het Palestijnse vraagstuk de kern vormde van de problematiek van het Midden-Oosten. De druk op Israël nam toe om een handreiking te doen aan de Palestijnen. In 1988 verklaarde Arafat dat hij de staat Israël wel wilde erkennen, mits dat land zou instemmen met de vorming van een Palestijnse staat op de Westoever en de Gazastrook: de 'tweestatenoplossing'. De regering-Shamir peinsde hier niet over, en de patstelling bleef voortduren.

De oorlog in Afghanistan 1979-1989

Afghanistan, ingeklemd tussen Iran, Pakistan en de Sovjet-Unie, wordt doorgaans niet tot het Midden-Oosten in engere zin gerekend, maar wat er in dat land vanaf 1979 gebeurde, raakte wel degelijk de verhoudingen in de gehele regio. Het land was lange tijd, net als Iran, een buffer geweest tussen invloed van Rusland en van het imperialistische Groot-Brittannië. Intern was er voortdurend spanning tussen de overheid in Kaboel en de naar autonomie strevende stammen, alsmede tussen voorstanders van modernisering en zij die zwoeren bij oude moslimwaarden.

Een staatsgreep in 1978 bracht een communistisch bewind aan de macht, dat ingrijpende nationalisaties en landhervormingen aankondigde, die weerstand opriepen bij etnische groepen en islamitische leiders. Zij namen de wapens op tegen het 'goddeloze' bewind, dat slechts steunde op een kleine groep intellectuelen en officieren. In de burgeroorlog die uitbrak, beheersten verzetsstrijders, de zogenaamde 'moejaheddien', spoedig grote delen van het platteland.

In december 1979 deed de Sovjet-Unie een militaire inval om de regering te beschermen. Zij installeerden een stroman, die bij de bevolking echter geen poot aan de grond kreeg. Spoedig namen de moejaheddien de wapens op tegen de Russische bezetters. Zij werden bewapend door het Westen, via het islamitische Pakistan. Velen waren fundamentalistische moslims, die de jihad voerden tegen het communisme. Het Westen beschouwde hen als nuttige bondgenoten in de Koude Oorlog. Fundamentalistische moslims uit heel het Midden-Oosten, onder wie een zekere Osama bin Laden, de jonge zoon van een schatrijke Saoedische architect, spoedden zich naar Afghanistan om mee te vechten, nota bene met welwillende medewerking van de Amerikanen en Britten, die elke hulp tegen de Russische vijand op prijs stelden. Zo sponsorde het Westen een tijdje de jihad.

Jarenlang woedde er een verbeten oorlog. De Russen moesten het op alle fronten afleggen tegen de moejaheddien. Zij verloren tienduizenden manschappen. Meer dan drie miljoen Afghanen werden vermoord of raakten zwaar gewond. Zes miljoen mensen vluchtten naar Iran of Pakistan. De Russische partijleider Gorbatsjov besloot in 1987 tot beëindiging van de Russische oorlogvoering in Afghanistan. De laatste Russische troepen werden in 1989 teruggetrokken. Dit betekende nog niet het eind van de burgeroorlog. Strijdgroepen van diverse stammen gingen door met de strijd tegen de regering, en vochten tegen elkaar. Afghanistan viel praktisch uiteen, totdat in de jaren 1994-1996 de Talibanbeweging, oorspronkelijk gevormd uit islamitische studenten, zich van het land meester maakte.

Irak onder Saddam Hoessein

In 1968 was in Irak de Baath-partij aan de macht gekomen. President al-Bakr werd bijgestaan door zijn jonge neef, Saddam Hoessein. Met inkomsten uit de olie, waarvan de prijs door de oliecrisis flink was gestegen, konden zij voor de Iraakse massa's grote projecten opzetten zoals onderwijsprogramma's, bouw van scholen, wegen en ziekenhuizen. De nationalisatie van de Britse Iraqi Petroleum Company in 1972 kwam hun hierbij bijzonder goed van pas. Saddam oogstte bewondering van het Westen en de VN voor wat hij met zijn organisatietalent tot stand bracht. Er werd stevig geïnvesteerd in zware industrie, zodat er werk in overvloed was. Ziekenzorg en hoger onderwijs werden praktisch gratis toegankelijk. Vrouwen kregen toegang tot opleidingen en banen. Tegelijk groeide er afgrijzen voor de harde manier waarop alle oppositie werd aangepakt, met name die van de Koerden in het noorden. In 1974-1975 kwamen de Koerden in opstand. Deze opstand groeide uit tot een verbeten oorlogvoering. Toen de sjah van Iran in 1975 echter een overeenkomst sloot met Irak, betekende dit het feitelijk einde van die opstand, omdat de rebellen in dat buurland geen toevlucht meer konden zoeken. De grens met Turkije – dat zijn eigen strijd voerde tegen Koerdische rebellen – was al eerder gesloten. Zonder pardon liet Bagdad een kwart miljoen Koerden naar het zuiden deporteren. Grote aantallen Arabieren gingen hun woonplaatsen innemen.

In 1979 trad al-Bakr af en nam Saddam Hoessein alle macht in handen. Saddam (1937) stamde uit een familie van landloze boeren uit de streek rond Tikrit. Van zijn pleegvader had hij een stevige haat geërfd tegen de Britten. Als jong Baath-activist bracht hij enkele jaren door in ballingschap en in de gevangenis. Samen met zijn ondergrondse Baath-activiteiten stonden die ervaringen garant voor de vorming van zijn meedogenloze en immer wantrouwende persoonlijkheid. Vanaf 1979 was Saddam Hoessein president, hoofd van de Revolutionaire Commandoraad (een klein comité bestuurders), partijvoorzitter en hoofd van de strijdkrachten. Hij ontpopte zich als een bijzonder wreed dictator, die een sadistisch genoegen schepte in vervolging, marteling en executies van politieke tegenstanders. Dit contrasteerde scherp met de gelijkheidsideologie van de Baath-partij. Die partij was meer en meer zijn persoonlijk machtsinstrument geworden. Een heel netwerk van binnenlandse spionnen voorzag hem van informatie over mogelijke tegenstanders. Alleen al in 1981 en 1982 werden naar schatting meer dan drieduizend Irakezen geëxecuteerd. Saddam plaatste leden van zijn soennitische familie en zijn Tikriti-stam op hoge posten. Daarmee gaf hij tevens aan de sjiitische meerderheid in Irak het signaal dat zij zich beter gedeisd kon houden.

Saddams grootheidswaanzin kende geen grenzen. Zo liet hij – in strijd met de seculiere uitgangspunten van de Baath – een stamboom fabriceren, als bewijs dat hijzelf rechtstreeks van de profeet Mohammed afstamde. Hij zag Mohammed overigens minder als boodschapper van Allah, dan als politiek leider der Arabieren. De grap ging rond dat Irak 28 miljoen inwoners telde: 14 miljoen mensen en 14 miljoen Saddambeelden. Saddam liet ook met zijn eigen bloed een zeshonderd pagina's dikke handgeschreven kopie van de koran vervaardigen. Met hetzelfde gevoel voor manipulatie van de geschiedenis stelde hij Irak voor als de rechtsopvolger van de Mesopotamische culturen uit de Oudheid en van het middeleeuwse Abbasidenrijk.

De oorlog Irak-Iran 1980-1988

De klaarblijkelijke chaos in Iran verleidde Saddam Hoessein in 1980 tot een grootscheepse aanval op dit buurland. De inzet van de strijd was het bezit van de grensrivier de Shatt al-Arab, de samenvloeiing van de Eufraat en de Tigris in de Perzische Golf en Iraks enige uitweg naar zee. In 1975 had Irak met Iran een verdrag gesloten, dat Saddam nu verscheurde. Hij wenste tevens de eeuwenoude rivaliteit tussen Arabieren en Perzen in zijn voordeel te beslechten. De Perzische Golf zou zijn bezit worden, en Irak zou het leiderschap in de Arabische wereld overnemen van Egypte, dat door de vrede van Camp David in een isolement was gekomen. Een overwinning op Iran zou bovendien een klap toebrengen aan het sjiitische fundamentalisme, waarvoor het bewind in Bagdad immer beducht moest zijn, gelet op de miljoenen sjiitische onderdanen.

De Iraakse invasie liep al spoedig vast in een uitzichtloze oorlog, op Vietnam na de langste internationale oorlog van de twintigste eeuw. Met succes klopte Saddam om hulp aan bij de andere Arabische landen. Met name Saoedi-Arabië, Koeweit en de Golfstaten, die een Iraanse opmars vreesden, leenden tientallen miljarden dollars aan het regime in Bagdad. Ook zocht hij toenadering tot Egypte, het land dat hij eerder zo had verketterd vanwege Camp David. In 1984 herstelde Saddam de (in 1967 verbroken) betrekkingen van Irak met de Verenigde Staten. Hij betrok wapens uit de Sovjet-Unie en uit Frankrijk. Voor al deze landen was Khomeiny de demon, en alle meenden dat ze voor de olie beter met Saddam zaken konden doen dan met Khomeiny. Toen in 1981 de Israëlische luchtmacht plotsklaps een Iraakse kernreactor kapotschoot, vestigde dit voor het eerst de aandacht van de wereld op Saddams geheime nucleaire programma.

Na de aanvankelijke Iraakse successen op het slagveld wist Iran in 1982 het grootste deel van het verloren terrein te heroveren. Tegenover het materiële overwicht van Irak bracht Iran een bijzonder wapen in de strijd: het plaatste honderdduizenden kindsoldaten vooraan in de linies, die onder meer de mijnenvelden moesten verkennen. Velen van hen sneuvelden, met om hun hals een hanger met een sleuteltje voor toegang tot het paradijs. Irak ondernam van zijn kant bombardementen met gifgas en andere chemische wapens. Het ergst was het gifgasbombardement op het Koerdische stadje Halabja in Noord-Irak (16 maart 1988), waarbij vijfduizend mensen de dood vonden. Reeds in 1983 hadden Iraakse commando's achtduizend leden van een opstandige Koerdenstam opgepakt en vermoord.

Saddam bood een wapenstilstand aan, maar de Iraanse geestelijke leider Khomeiny eiste volledige schadeloosstelling en de val van de 'goddeloze' Iraakse leider. Zelfs kondigde hij de jihad af tegen Saddam. In het heetst van de strijd schoten beide oorlogvoerende landen elkaars olie-installaties in brand. Om Saddams Arabische bondgenoten te treffen, vuurde Iran ook op olietankers van of naar de Perzische Golf. Bovendien woedde er een stedenoorlog, waarin zowel Bagdad als Teheran onder vuur kwam te liggen.

Pas in 1988 maakte intensieve bemiddeling door de VN een eind aan het bijzonder bloedige conflict. Bijna een miljoen Irakezen en Iraniërs waren om het leven gekomen.

Koeweit en operatie-Desert Storm 1990-1991 (De Golfoorlog)

Ondanks de enorme verliezen en de verwoesting van zijn land, verkondigde Saddam dat hij eigenlijk een overwinning had behaald. Zijn leger kon zich eind jaren tachtig het op drie na grootste ter wereld noemen. Irak bezat een heel arsenaal scudraketten (waarmee steden geraakt konden worden) en werkte aan de ontwikkeling van dodelijke chemische en biologische wapens.

Het olierijke Koeweit werd zijn volgende doelwit. Het staatje weigerde aan Irak de oorlogsschulden kwijt te schelden; samen met het van Saoedi-Arabië geleende geld bedroegen die maar liefst zestig miljard dollar. Ook hanteerde Koeweit een lage olieprijs, waarvan vooral het Westen (met Israël) profiteren zou. De grens tussen Koeweit en Irak werd door Saddam voorgesteld als een kunstmatige lijn, ooit door de Britten getrokken, die niet erkend hoefde te worden.

Op 2 augustus 1990 viel het Iraakse leger Koeweit binnen. Het land werd geannexeerd. De Amerikaanse president George Bush sr. – die Saddam voorstelde als een tweede Hitler – wenste niet van appeasementpolitiek verdacht te worden, net zomin als de Britse premier Eden dat in 1956 wilde toen die oog in oog met Nasser stond. Amerika legde zich dus niet neer bij de brutale annexatie van het weerloze landje. Maar daarnaast was het voor menigeen duidelijk dat het belang van Koeweit als goedgunstige olieleverancier voor het Westen veel zwaarder woog dan alle uitgesproken principes.

Gezien de lugubere staat van dienst van Saddam, was het was niet moeilijk hem te demoniseren. Bush slaagde erin een coalitie te smeden van meer dan twintig landen, ter bevrijding van Koeweit. Saddam pochte over zijn kansen in de aanstaande 'Moeder aller Veldslagen'. Hij gokte op steun van de Arabische massa's. Maar de regimes had hij niet aan een touwtje. Enkele belangrijke Arabische landen zoals Saoedi-Arabië, Syrië en Egypte sloten zich aan bij de coalitie, uit angst voor Saddam. Hetzelfde deed ook NAVO-partner Turkije. De enige supporters van Saddam waren Jordanië en de PLO: de Palestijnen in hun desperate positie lieten hun oren hangen naar diens lokroep als hun 'bevrijder'. De Verenigde Staten wisten een geallieerde strijdmacht van in totaal bijna een miljoen soldaten op de been te brengen, en een luchtmacht waar die van Irak niet aan kon tippen. De gigantische mobilisatie kreeg de codenaam operatie Desert Shield. Een Veiligheidsraadresolutie stelde per ultimatum dat Irak uiterlijk op 15 januari 1991 Koeweit diende te verlaten. Daarna waren 'alle noodzakelijke middelen' geoorloofd om het land te bevrijden.

Onmiddellijk nadat Irak de datum had laten verlopen, startte operatie Desert Storm. Vijf weken van zware luchtaanvallen op Bagdad en andere steden veroorzaakten een enorme schade aan gebouwen en infrastructuur, en eisten een hoge tol aan mensenlevens. Irak antwoordde door zowel Israël als Saoedi-Arabië onder vuur te nemen. Toen Israël door Iraakse scudraketten werd getroffen, zetten de Israëli's gasmaskers op, en spookachtige herinneringen aan de holocaust kwamen boven. Palestijnen op de Westoever, die juichten bij elke scud richting Israël, kregen evenwel geen gasmaskers uitgereikt. Met kunst- en vliegwerk – en door het haastig installeren van Patriot-raketten – wist Amerika de getergde Israëlische regering ervan te weerhouden op eigen houtje wraak te nemen op Irak, hetgeen een breuk in de coalitie zou hebben betekend.

De bombardementen werden in februari gevolgd door een grondoffensief van slechts honderd uren. Saddams troepen gaven zich prompt over. Binnen enkele dagen werd Irak verslagen en was Koeweit bevrijd. Uit wraak liet Saddam de olie-installaties in brand schieten.

De kans om Saddam Hoessein persoonlijk uit te schakelen werd door de Amerikanen niet benut. Bush hield zich aan de strikte interpretatie van de Veiligheidsraadresolutie: Koeweit was bevrijd, en daarmee uit. Zeer waarschijnlijk vreesde hij bij uitschakeling van het regime in Bagdad een destabilisering van de hele regio, en prefereerde hij Saddam te handhaven als aangeschoten wild. De beslissing van Bush is naderhand door velen betreurd, het allereerst door de sjiieten in het zuiden en de Koerden in het noorden van Irak. Elk van beide bevolkingsgroepen achtte namelijk het moment van de nederlaag rijp voor een opstand tegen Bagdad. Saddam had echter zijn elitetroepen achter de hand gehouden, en hij kon beide opstanden genadeloos neerslaan en tal van opstandelingen laten executeren. Er volgde een massale uittocht van Koerden richting Iran en Turkije, waarbij minstens twintigduizend van hen stierven.

De vn stelden *no-fly-zones* in boven delen van Irak, en dwongen Saddam tot het toelaten van teams van wapeninspecteurs van de ontwapeningscommissie unscom. Saddam wist zich te handhaven. Economische sancties van de vn konden hem niet deren, maar veroorzaakten wel massale ondervoeding en kindersterfte. In 1992 deden de vn een aanbod aan Irak om olie te leveren in ruil voor voedsel en medicijnen. Pas in 1996 ging Saddam op dit aanbod in: het *oil for food*-programma trad in werking. Saddam vatte dit op als teken van zwakte van de wereldgemeen-schap en meende hogere eisen te kunnen stellen. Hij ging UNSCOM steeds meer tegenwerken. In 1998 dwong hij de wapeninspecteurs zijn land te verlaten. Amerika en Groot-Brittannië reageerden met een reeks bombardementen, onder de operatienaam Desert Fox. De verdenking dat Saddam Hoessein bezig was massavernietigingswapens te fabriceren werd almaar sterker en veroorzaakte in 2002 de volgende crisis.

De Oslo-akkoorden 1993-2000

Het feit dat Israël in de Golfoorlog van 1991 in hetzelfde schuitje had ge-zeten als de meeste Arabische landen, maakte bemiddeling tussen Israël en zijn buurstaten kansrijk. In 1992 kwam in Israël de Arbeidspartij weer aan de macht, met Rabin als premier. In tegenstelling tot zijn tegenstan-ders van het Likoed-blok stuurde Rabin aan op vrede met de Palestijnen. In 1993 werd in Washington een principeakkoord gesloten, op basis van geheime besprekingen in Oslo, waarbij Israël de PLO erkende en omge-keerd. Arafat drukte de hand van premier Rabin, onder het toeziend oog van president Clinton. Dit was een sensationeel moment. Triomfantelijk deed Arafat vervolgens zijn intree in Gaza en op de Westoever. Een 'Pa-lestijnse Autoriteit' kreeg meteen zelfbestuur over Gaza en Jericho, met uitzicht op meer. Een jaar later ontvingen Arafat, Rabin en zijn minister Shimon Peres van Buitenlandse Zaken de Nobelprijs voor de vrede. In 1994 sloten Israël en Jordanië vrede. Enkele jaren later schrapte de PLO de vernietiging van de staat Israël formeel uit haar handvest.

De euforie was echter van korte duur. De Oslo-akkoorden spiegelden de Palestijnen in Gaza en de Westoever weliswaar zelfbestuur voor, maar toen puntje bij paaltje kwam leidde dit tot ernstige fragmentarisering van die gebieden. De kaart van de Westoever veranderde in een lappendeken van gebiedjes waar de PLO ofwel geheel, ofwel gedeeltelijk, ofwel geen enkele zeggenschap kreeg. Die laatste categorie omvatte die delen waar al zo'n 140 joodse nederzettingen gevestigd waren, die door een dicht netwerk van by-passwegen met elkaar verbonden werden. Er waren in-middels meer dan 200.000 joodse kolonisten in Gaza en op de West-oever, de joodse inwoners van Oost-Jeruzalem niet inbegrepen. Zij gaven te kennen nimmer hun nederzettingen op te geven. Deze kolonisten, onder wie veel militanten en ultra-orthodoxen, zagen zichzelf als de voorhoede van het joodse volk en stonden uiterst vijandig tegen de regering-Rabin die immers concessies wilde doen aan de PLO.

Een ander heet hangijzer was ook blijven bestaan: de status van Jeruzalem. De Israëli's claimden Jeruzalem als dé hoofdstad voor hun joodse staat, terwijl voor de PLO een zelfstandige Palestijnse staat zonder Jeruzalem als hoofdstad onbespreekbaar was. Het vredesproces kreeg een ernstige slag te verduren toen premier Rabin tijdens een vredesmanifestatie in november 1995 werd doodgeschoten door een joodse extremist.

Aan de andere kant voerden extremistische Palestijnen van de beweging Hamas de frequentie op van aanslagen op Israëlische burgers. Hamas had veel Palestijnen achter zich weten te krijgen door controle over de moskeeën, gratis voedseluitdelingen en onderwijs aan de armen. Trots presenteerde Hamas een hele groep aanstaande zelfmoordterroristen, bereid te sterven voor Allah. Zij omgordden zich met explosieven en bliezen zichzelf op te midden van Israëlische burgers. Een epidemie van aanslagen vergde vele doden, alleen al een zestigtal in het voorjaar van 1996. De Palestijnse Autoriteit in Gaza en op de Westoever slaagde er niet in dit Hamas-geweld te beteugelen. Behalve Hamas waren er nog enkele andere terreurorganisaties actief, waaronder Hezbollah, die bestond uit radicale sjiieten die vanuit Libanon opereerden, en de Islamitische Jihad.

De gevoelens van onveiligheid vanwege de terreuraanslagen maakten dat Israëlische kiezers in 1996 Rabins opvolger Peres naar huis stuurden. Likoed kwam weer aan de macht. Premier Benjamin Netanyahu trad veel harder op tegen de Palestijnen dan zijn voorgangers. Bovendien keurde hij de bouw van nieuwe joodse nederzettingen op de Westoever goed. Die lokten op hun beurt weer terreuraanslagen uit. Het geloof in het Oslo-vredesproces verdween. Ook Ehud Barak, premier namens de Arbeidspartij vanaf 1999, slaagde er niet in met Arafat tot een akkoord te komen. Ondanks zijn verzoenende woorden liet hij de bouw van nieuwe nederzettingen onbelemmerd toe. In juli 2000 faalde een bemiddelingspoging van de Amerikaanse president Clinton, die Barak en PLO-leider Arafat speciaal hiervoor in zijn buitenverblijf Camp David had uitgenodigd. Barak bood Arafat 85 procent van de bezette gebieden aan, maar de beste stukken zouden Israëlisch bezit blijven en de in de kwestie-Jeruzalem gaf Barak geen krimp. Arafat weigerde, en de kans op vrede was verkeken.

De tweede intifada

In september 2000 barstte er in de bezette Palestijnse gebieden opnieuw een grote opstand los, de tweede intifada, naar aanleiding van een provocerend bezoek van oppositieleider Sharon aan de Al-Aqsa-moskee op de Tempelberg in Jeruzalem. Voor de islamieten was dit een heilige plek bij uitstek. De moskee stond ook symbool voor de Palestijnse strijd voor een eigen staat met Jeruzalem als hoofdstad.

Deze intifada, ook wel Al-Aqsa-intifada genoemd, verliep heel wat bloediger dan de eerste uit 1987-1993. Nu waren het niet alleen stenen en knuppels, maar vooral kogels waarmee de Israëli's en de Palestijnen elkaar bestookten. Twee jaar later waren er al meer dan 1700 Palestijnen en meer dan 600 Israëli's gedood, en telde men 25.000 gewonden. Niet alleen de krijgsfeiten telden, ook de manier waarop de media het geweld van beide kanten in beeld brachten was een factor van betekenis. Een foto van de doodsangst van een Palestijns jongetje in de vuurlinie vormde propaganda voor de PLO, terwijl beelden van een woedende Palestijnse massa die Israëlische militairen lynchte het omgekeerde effect sorteerden.

In februari 2001 verloor Barak de verkiezingen; 41 procent van de kiezers was thuisgebleven, onder wie veel Israëlische Arabieren. De onverzoenlijke Sharon (Likoed) kwam aan de macht. Onderhandelingen met de Palestijnen werden niet meer hervat. Palestijnse terroristen pleegden honderden aanslagen. Familieleden van deze zelfmoordenaars verklaarden trots te zijn op hun 'martelaar'. Israëlische staatsburgers reageerden woedend. Velen gaven de Arbeidspartij en de vermoorde Rabin de schuld van het geweld. Het Israëlische leger reageerde ongemeen hard, door delen van de bezette gebieden geheel af te sluiten, woningen en infrastructuur van de Palestijnen te vernietigen en Arafat persoonlijk het vuur na aan de schenen te leggen. Arafat werd door Sharon immers verantwoordelijk gesteld voor de aanslagen. Maar Arafat kon daar niet veel tegen uitrichten, zeker niet omdat de Israëli's hem praktisch beroofden van zijn bewegingsvrijheid en gezagsinstrumenten.

De aanslagen van 11 september 2001 en de *war on terrorism*

Op 11 september 2001 kaapten Arabische moslimterroristen enkele Amerikaanse passagiersvliegtuigen en lieten die te pletter vliegen in de hoge torens van het World Trade Center (WTC) in New York en op het Pentagon (het ministerie van Defensie) in Washington. Het WTC stortte in. Er vielen ruim drieduizend doden. De wereld toonde zich geschokt over deze weloverwogen aanslagen op de symbolen van economische en militaire macht van het onkwetsbaar geachte Amerika. Maar in de door Israël bezette gebieden en ook in veel andere delen van de islamwereld juichten massa's mensen over deze vernedering van 's werelds enige supermacht.

De Amerikaanse president George Bush jr. kondigde aan de daders te zullen opsporen. Hij wees erop dat regimes die terroristen onderdak boden evenzeer Amerikaanse vergeldingsmaatregelen konden verwachten als de terroristen zelf. Bush stelde dat er een 'as van het kwaad' bestond, van schurkenstaten zoals Irak, Iran en Noord-Korea. Hij kondigde een kruistocht af tegen het terrorisme. De term kruistocht viel in de Arabische wereld natuurlijk volkomen verkeerd.

De vermogende moslimfundamentalist Osama bin Laden werd aangewezen als het brein achter de aanslagen. Deze was, teruggekeerd uit Afghanistan, in zijn eigen land Saoedi-Arabië gestuit op de aanwezigheid van Amerikaanse troepen op heilig grondgebied en op bewijzen van westers cultureel imperialisme, zoals vrouwen die de islamitische kledingvoorschriften overtraden en westerlingen die alcohol dronken. Hij ging hier zo tegen tekeer, dat hij in 1991, na de Golfoorlog, zijn land werd uitgezet. Bin Laden zette een internationaal terroristisch netwerk op, Al-Qaida ('de basis'), dat beoogde onderdrukte moslims waar ook ter wereld militair en financieel te steunen. Al-Qaida-strijders pleegden in 1998 aanslagen op Amerikaanse ambassades in Kenia en Tanzania (waarbij 224 doden vielen en duizenden gewonden). In 2000 was het Amerikaanse marineschip USS Cole in de haven van Aden hun doelwit.

Bin Laden verklaarde te handelen uit haat tegen het Westen, en riep in videoboodschappen de moslims op tot de heilige oorlog. De terrorist hield zich schuil in Afghanistan, dat sinds 1996 in handen was van de Taliban, een extreem-fundamentalistische beweging. De Taliban was aan de macht gekomen met gebruikmaking van wapens die hen geleverd waren door Pakistan, Saoedi-Arabië en zelfs de Amerikanen. Het Talibanbewind had het land zeer strenge shariawetten opgelegd. Mannen werden onder bedreiging met vuurwapens gedwongen vijf keer per dag in de moskee te gaan bidden; muziek, films en alcohol werden verboden. Vrouwen mochten niet meer buitenshuis werken en moesten de burqa dragen, een gewaad dat het hoofd en lichaam geheel bedekt.

De Verenigde Staten verzekerden zich van de nodige rugdekking van de NAVO-bondgenoten en van landen als China en Rusland; van vitaal belang was vooral de steun van Pakistan, waar het regime zich door gewelddadig islamfundamentalisme bedreigd voelde. Toen de Talibanregering uitlevering van Bin Laden weigerde, startte Bush, gesecondeerd door de Britse premier Tony Blair, in oktober 2001 een militaire campagne tegen Afghanistan. Hevige Amerikaanse bombardementen op machtscentra van de Taliban en trainingskampen van Al-Qaida volgden. Door deze massieve luchtsteun slaagde eind 2001 de Noordelijke Alliantie (Afghaanse anti-Talibanstrijders) erin de Taliban te verdrijven. Er kwam een coalitieregering tot stand, die – tegen enorme weerstanden – poogde het arme land weer een geregeld bestuur te geven. De shariawetgeving werd grotendeels afgeschaft.

Bin Laden werd echter niet aangetroffen, dood noch levend. Bush kondigde een voortzetting van de strijd tegen terrorisme aan.

De war on terrorism en het conflict tussen Israël en de Palestijnen

Sinds 11 september 2001 voelde Israël zich nog sterker dan voorheen met de Verenigde Staten verbonden. Sharon riep dat Israël al jarenlang voelde wat Amerika nu meemaakte: mikpunt te zijn van terroristische zelfmoordaanslagen. In de wereldwijde 'war on terrorism' was Israël Amerika's trouwe bondgenoot. De strijd tegen de Palestijnse opstand paste logisch in die houding: 'Onze Bin Laden heet Arafat', kon men horen. IJlings veroordeelde Arafat de aanslagen in Amerika, en gaf hij bloed voor de slachtoffers. Hij verzette zich tegen pogingen van Sharon om de strijd tegen Bin Laden gelijk te stellen met die tegen de Palestijnen. Een Al-Qaida-aanslag op Israëlische toeristen in Kenia in november 2002 was een teken dat dit terreurnetwerk zijn actieradius tot Israël uitbreidde; Arafat keurde dit Al-Qaida-terrorisme ten stelligste af, maar veel Israëlische staatsburgers ontging deze nuance.

Amerika deed niet veel om Sharon te remmen in de harde aanpak van de intifada. Eind 2002 hield Israël meer dan duizend Palestijnen voor onbepaalde tijd in hechtenis, zonder vorm van proces. Israël vertrouwde op de sterke Israël-lobby in het Amerikaanse Congres. Elk jaar ontving het drie miljard dollar aan steun uit Amerika, waarvan twee miljard als militaire subsidie.

In maart 2002 ging het Israëlische leger na de zoveelste zelfmoordaanslag over tot de aanval. Zelfs Arafats woning werd daarbij getroffen. Voor het gevoel van de Palestijnen gaf president Bush aan Sharon het groene licht om de Palestijnen keihard aan te pakken, ook al bleef Arafat persoonlijk buiten schot. Palestijnen en Israëliërs raakten nog verder in een geweldsspiraal verstrikt. In september 2002 werd de situatie zo mogelijk nog uitzichtlozer, toen Arafats hoofdkwartier in Ramallah vrijwel geheel met de grond gelijk werd gemaakt. Hoe meer de Israëli's Arafat in het nauw dreven, des te groter werd zijn populariteit bij de Palestijnen. Sharons politiek werkte dus averechts. Het bleek dat een groot deel van de Palestijnen sympathie koesterde voor de zelfmoordterroristen. En zij wisten dat Saddam Hoessein de nabestaanden financieel steunde.

In 2002 had het er af en toe veel van weg, dat Israël in een bestaanscrisis verzeild was geraakt. Het land was ooit opgericht om de joden een veilig bestaan te verschaffen, maar die veiligheid viel niet te garanderen, ondanks de militaire superioriteit. Naast het terrorisme was er de demografische factor: de Arabische bevolking groeide veel harder dan de joodse. Nadat er begin jaren negentig nog enkele honderdduizenden Russische joden Israël waren binnengekomen, leek de stroom joodse immigranten op te drogen. Meer en meer Israëli's vroegen daarentegen paspoorten aan voor Duitsland, Hongarije, Polen en andere vroegere centra van de diaspora, waar hun expertise meer dan welkom was.

Daarmee stelden zij onbewust de Amerikaanse auteur Philip Roth in het gelijk, die de hoofdfiguur in zijn roman *Operatie Shylock* (1993) liet fantaseren over een oplossing voor Israëls veiligheidsprobleem: het 'diasporisme', de terugkeer naar Europa van asjkenazische joden om te ontkomen aan de kluwen van geweld en mogelijk aan een toekomstige catastrofe.

'Routekaart naar vrede'?

In 2003 was er een nieuwe poging om het geschil tussen de Israëli's en de Palestijnen op te lossen. De Verenigde Staten, Rusland, de EU en de VN presenteerden een vredesplan, getiteld: Routekaart naar vrede. Nadat er in april een nieuwe Palestijnse regering aantrad onder leiding van premier Mahmoud Abbas (een favoriet van de Verenigde Staten) kon het plan worden ontvouwd. Het bevatte drie fasen. De eerste was onder meer gericht op het beëindigen van het geweld en het normaliseren van het leven voor de Palestijnen; Israël moest zich terugtrekken naar posities van vóór de tweede intifada. In fase twee zou een tijdelijke Palestijnse staat worden uitgeroepen. In fase drie zou overeenstemming moeten komen over de precieze grenzen, de status van Jeruzalem, het vluchtelingenprobleem en de nederzettingen. Een definitieve Palestijnse staat zou al mogelijk zijn in 2005. Sharon deed vriend en vijand versteld staan door toe te geven dat er echt sprake was van een bezetting door Israël; hij verklaarde 'illegale' nederzettingen te willen ontmantelen. In juni was er een topontmoeting in Akaba tussen Sharon, Abbas, Bush en koning Abdoellah II van Jordanië. Ondanks hoopgevende gebaren kwam het slechts tot een afspraak over een staakt-het-vuren. Met moeite wist Abbas de toezegging los te krijgen van Hamas, Islamitische Jihad en de Al-Aqsa-Brigades (de gewapende tak van El Fatah) om voor drie maanden een bestand in acht te nemen; zij hielden zich hierbij het recht voor om wraak te nemen op Israëlische liquidatiepogingen. Sharon wantrouwde het bestand, omdat het de terroristen de kans zou geven zich te herbewapenen.

De routekaart schoot op een essentieel punt tekort: hij kon geen garanties geven voor een levensvatbare Palestijnse staat. De joodse kolonisten op de Westoever en de Gazastrook waren niet van plan te vertrekken. Sharon liet enkele illegale buitenposten afbreken, maar dat was meer voor de show. Ondertussen bouwde Israël voort aan wegen die de Palestijnse gebieden steeds verder versnipperden en hele dorpen dreigden te isoleren. Ook werd druk verder gebouwd aan een ander project: een 'veiligheidsmuur' om te verhinderen dat Palestijnse terroristen in Israëlisch gebied konden infiltreren.

Het vredesproces liep spoedig vast. Reeds voordat het bestand van kracht werd, en tijdens de 55 dagen dat het standhield, wisselden zelfmoordaanslagen op Israëlische burgers en pogingen van Israël om Hamas-leiders te liquideren, elkaar af. Op 19 augustus blies een als orthodoxe jood verklede radicale imam zichzelf op in een bus vol joden die van de Klaagmuur in Jeruzalem op weg was naar een buitenwijk. Er vielen 22 doden en honderd gewonden onder wie veertig kinderen; het was welgeteld de honderdste zelfmoordaanslag sinds het begin van de intifada, en de bloedigste in jaren. Voor de Israëlische regering was dit het bewijs dat de Palestijnse Autoriteit niet in staat was het terrorisme de kop in te drukken. Nu was het weer oorlog. De Israëlische regering bevroor alle contacten met de Palestijnse Autoriteit. Grenzen gingen dicht, blokkades werden weer opgeworpen, de geplande overdracht van twee Palestijnse steden werd opgeschort. Israël deed een mislukte poging om sjeik Jassin te liquideren, de leider van Hamas. Dit riep weer om wraak.

Premier Abbas raakte ondertussen verstrikt in ruzies met Arafat over de controle over de veiligheidsdiensten (zonder welke hij machteloos was), en trad af. Arafat schoof parlementsvoorzitter Ahmed Qurey naar voren als nieuwe Palestijnse premier, die lang bleef twijfelen over de vraag of een zinvolle invulling van deze functie wel mogelijk was. In september verklaarde Sharon dat zijn kabinet in beginsel besloten had Jasser Arafat te 'verwijderen'. De Amerikanen stribbelden weliswaar tegen, maar spraken even later in de VN-veiligheidsraad hun veto uit over een resolutie die Israël opdroeg om Arafat ongemoeid te laten.

De routekaart leek verscheurd. Op de kop af tien jaar na 'Oslo' en 25 jaar na 'Camp David' waren Israëli's en Palestijnen het slechts over één ding roerend eens: een nieuwe golf van geweld stond voor de deur. Wie kon de geweldsspiraal keren?

De crisis om Irak 2002-2003

Na de oorlog tegen de Taliban bepaalde Bush een nieuw doelwit in de strijd tegen het terrorisme: Saddam Hoessein. De vreeswekkende Iraakse dictator werd ervan verdacht massavernietigingswapens van chemische en biologische aard te vervaardigen, en wellicht ook nucleaire. Saddam had alle VN-resoluties over wapeninspecties aan zijn laars gelapt. Bovendien verdacht Bush hem van samenwerking met Al-Qaida, hoewel het bewijs moeilijk te leveren viel.

De redenering van de haviken in de regering-Bush luidde, dat een preventieve aanval om Saddam te ontwapenen – en af te zetten – beter was dan afwachten tot hij met zijn wapenarsenaal heel de regio kon beheersen, of zijn massavernietigingswapens kon doorsluizen naar terroristische netwerken. Het idee van 'preventieve aanval' leek de kern te vormen van Amerika's nieuwe militaire doctrine, die de Koude-Oorlogsconcepten van 'indamming' en 'afschrikking' verving. Die hielpen niet tegenover terroristen die Amerika en het Westen naar het leven stonden. Amerika diende dit karwei desnoods alleen op te knappen, ongeacht of de VN hiervoor het groene licht zouden geven.

Critici wezen echter op de enorme risico's van zo'n eenzijdige Amerikaanse aanval op Irak. Wanneer de Amerikanen Irak zouden bombarderen en binnenvallen, kon dat de hele regio destabiliseren, en de moslimwereld zou zich als een blok tegen hen richten. Het gevreesde conflict tussen 'botsende beschavingen' kon dan leiden tot een derde wereldoorlog, zo vreesden zij.

Bush was in september 2002 nog zo voorzichtig om geen eenzijdige actie tegen Irak te wagen buiten de VN om. In de Veiligheidsraad werd druk onderhandeld. In november nam de Raad unaniem resolutie 1441 aan, die Irak aan een nauwgezet tijdsplan onderwierp. Het land moest wapeninspecteurs toelaten en hun niets in de weg leggen, en een volledig overzicht geven van al zijn massavernietigingswapens. Uiterlijk in februari 2003 moesten de inspecteurs verslag uitbrengen aan de Veiligheidsraad.

Hiermee was het aftellen begonnen. De spanning steeg. In december overhandigde Irak aan de wapeninspecteurs een rapport van tienduizend pagina's, dat vol hiaten zat. In januari 2003 meldde het inspectieteam nog geen wapens te hebben aangetroffen. Ondertussen versterkten de Amerikanen en de Britten hun manschappen in het Midden-Oosten tot een aantal van rond de 250.000. Naarmate het moment van de waarheid naderde, drongen allerlei stemmen aan op bezinning. Niet alleen in het Midden-Oosten, maar ook in de westerse wereld zagen critici de controle over de olietoevoer naar het Westen als hét motief voor een aanval op Saddam; Irak bezat immers op Saoedi-Arabië na de grootste oliereserves ter wereld. Goedkope olieleverantie zou nooit de inzet van een oorlog mogen vormen: 'geen bloed voor olie!' riepen zij. Anderen wezen op de Pax Americana die Bush zou willen vestigen. Dat de Verenigde Staten van plan waren de Golfregio definitief aan hun politieke dominantie te onderwerpen, viel op te maken uit rapporten van conservatieve denktanks achter de president, die al langer pleitten voor *regime change* in Irak en voor een permanente militaire aanwezigheid van de supermacht in het Midden-Oosten.

Om die schijn te vermijden was het voor Amerika van belang de oorlog niet op eigen houtje te voeren. Maar 2003 bleek geen 1990 te zijn: een coalitie zoals Bush sr. toen had gesmeed kwam er niet. De Saoedische regering liet weten dat Amerika alleen van haar grondgebied gebruik mocht maken na een nieuwe resolutie van de Veiligheidsraad over Irak. De betrekkingen van de Saoedi's met de Verenigde Staten stonden sinds 11 september 2001 onder druk: gebleken was dat vijftien van de negentien WTC-terroristen uit Saoedi-Arabië afkomstig waren. Turkije weigerde de Amerikanen toestemming te geven zijn grondgebied te gebruiken als uitvalsbasis voor aanvallen op Irak. Koeweit bleef over als de voornaamste springplank voor de aanvallende troepen.

Begin februari toonde Powell, de Amerikaanse minister van Buitenlandse Zaken, satellietfoto's in een vergeefse poging de Veiligheidsraad te overtuigen dat Irak de wapeninspecteurs in de maling nam. Op 14 februari sprak Hans Blix, hoofd van de wapeninspecteurs, tegenover de Veiligheidsraad een vrij gematigd oordeel uit over de Iraakse bereidheid tot samenwerking. Zelfs de Britse premier Blair pleitte voor enig uitstel, alsof hij de kriebels kreeg van de miljoenen vredesdemonstranten die wereldwijd de straat op gingen. De Amerikanen en Britten stelden nog een ontwerpresolutie op die geweld tegen Irak sanctioneerde, maar deze maakte geen kans door een meerderheid in de Veiligheidsraad te worden gesteund. Frankrijk en Rusland dreigden met een veto, waarop Amerika de resolutie niet in stemming bracht. Bush bestempelde resolutie 1441 van november 2002 als voldoende legitimatie voor geweld; een interpretatie die door veel landen (Frankrijk, Duitsland en Rusland voorop) werd verworpen. De rechtmatigheid van oorlog tegen Saddam zonder een nadere vN-resolutie vormde onderwerp van vinnige discussies.

Heftig waren de reacties in de moslimwereld. Opgewonden massa's demonstreerden tegen de 'agressie' van Bush en Blair. Osama bin Laden riep in februari zijn volgelingen vanuit zijn schuilplaats op tot daden van 'martelaarschap', via een geluidsbandje dat als authentiek werd bestempeld. Saddam riep eveneens op tot martelaarschap tegen het gehate Westen en Israël.

De oorlog in Irak 2003

De regering-Bush eiste ultimatief dat Saddam Hoessein zijn land zou verlaten. Die weigerde, en op 20 maart vielen troepen van de Verenigde Staten en Groot-Brittannië Irak binnen. Operatie Iraqi Freedom ging van start, kennelijk op de gok dat hevige bombardementen op Bagdad en een bliksemsnelle opmars van de geallieerde troepen het bewind van Saddam voor een voldongen feit zouden plaatsen. Dit gebeurde niet direct, en weldra leek er van alles mis te gaan. Ten eerste scheen Saddam de eerste klappen te hebben overleefd; zijn regering trachtte het verzet tegen de invallers te coördineren. Ten tweede waren de verhoopte massa's die hun bevrijders zouden komen toejuichen in geen velden of wegen te bekennen: zo kreeg Amerika de rekening gepresenteerd voor het feit dat het in 1991 de sjiitische en Koerdische opstandelingen in de steek had gelaten. Ten derde logenstraften inslagen van raketten op markten en woonhuizen de Amerikaanse verzekering dat burgers zoveel mogelijk zouden worden ontzien. Schrijnende beelden van gewonde en gedode burgers gingen over de wereld.

Een humanitaire ramp tekende zich af, toen hele steden zonder water en elektriciteit kwamen te zitten. Guerrillastrijders lieten zich niet een-twee-drie uitschakelen. Zelfmoordenaars stortten zich op geallieerde patrouilles. Turkije vertoonde neigingen de Noord-Iraakse olievelden en het Koerdische gebied eromheen in te nemen. Dit om te verhinderen dat de Koerden in Noord-Irak een onafhankelijke staat zouden uitroepen, aantrekkelijk genoeg voor de Koerden in Zuidoost-Turkije om er zich bij aan te sluiten. De regering in Ankara had reden genoeg om zich zorgen te maken over de loyaliteit van haar eigen Koerdische onderdanen, nadat zij eind jaren negentig korte metten had gemaakt met de Koerdische afscheidingsbeweging PKK. Eind maart landden Amerikaanse luchtlandingstroepen in Noord-Irak om hier de zaken onder controle te krijgen, en ook om Bagdad vanuit het noorden te kunnen benaderen.

Wat er aanvankelijk ook zoal mis mocht gaan, het gigantische militaire overwicht van Amerikanen en Britten vormde dé allesbeslissende factor. Vanaf dag één van de oorlog hadden zij een totaal luchtmonopolie. Met precisiebombardementen poogden zij Saddams paleizen en belangrijkste gebouwen in puin te schieten en diens Republikeinse Garde te bestoken. Reeds begin april forceerden Amerikaanse troepen een doorstoot naar Bagdad. Het internationale vliegveld viel in hun handen, en één voor één sloten zij de toegangswegen naar de miljoenenstad af. Felle gevechten volgden. Duizenden Iraakse soldaten sneuvelden, tienduizenden werden krijgsgevangen gemaakt.

In de tweede week van april kwam plotseling het keerpunt in de oorlog. Amerikanen drongen in Bagdad de paleizen van Saddam binnen. Een reusachtig Saddambeeld werd onder luid gejuich omvergehaald; dit lot trof weldra veel afbeeldingen van de dictator. Van militair verzet was ineens niet veel sprake meer. Alle overheidsgezag viel weg en in dit machtsvacuüm braken in een vrijheidsroes overal plunderingen los van overheidsgebouwen, paleizen, ziekenhuizen, warenhuizen en musea. De Amerikanen hadden de grootste moeite deze verbijsterende volkswoede te beteugelen. Op 14 april werd de inname gemeld van de stad Tikrit, Saddams thuisbasis en mogelijke schuilplaats. Amerikanen troffen er verlaten loopgraven en wapendepots aan; maar geen spoor van massavernietigingswapens of van de Republikeinse Garde, laat staan van Saddam persoonlijk.

Op een moment dat de gevechten nog in volle gang waren, vond in Europa en Amerika reeds druk diplomatiek overleg plaats over de toekomst van Irak na de val van Saddam. Duitsland, Frankrijk en Rusland bepleitten een hoofdrol voor de VN. In de Amerikaanse regering was er meningsverschil tussen de ministeries van Defensie en van Buitenlandse Zaken. De 'haviken' rond defensieminister Rumsfeld gaven voorkeur aan een door Amerikanen gecontroleerd bestuur over Irak, terwijl de meer gematigde Powell (Buitenlandse Zaken) minstens een bijrol voor de VN overwoog. De Amerikaanse oud-generaal Jay Garner werd aangesteld als hoofd van een interim-bestuur.

De zoektocht naar de kopstukken van het verslagen Iraakse regime ging door. Terwijl de wapens nog niet geheel zwegen, gaven Bush en Rumsfeld reeds een waarschuwing aan de regering van Syrië om deze figuren geen onderdak te bieden. Bush beschuldigde Syrië van het bezit van chemische wapens. Amerika wilde zo het Baath-bewind in Damascus onder druk zetten om de steun aan radicale groeperingen in het Midden-Oosten te staken en af te zien van fabricage van massavernietigingswapens.

De war on terrorism leek nog allerminst ten einde.

Irak onder Amerikaans-Britse bezetting

Op 6 mei benoemde president Bush de ervaren crisismanager en terrorisme-expert Paul Bremer tot gouverneur in Irak. Bremer kreeg de opdracht het politieke proces in goede banen te leiden. Garner verdween naar de achtergrond. De zoektocht naar massavernietigingswapens ging onverdroten verder, maar zonder succes. Gedurende de zomer van 2003 rees steeds meer twijfel over de vraag of deze wapens wel echt bestonden. In eigen land kwam zowel Bush als Blair onder vuur te liggen van critici die stelden dat de rapporten over Saddams arsenalen in 2002 waren opgeblazen om de oorlog te rechtvaardigen. Bush moest in september toegeven dat er geen bewijs was voor een rol van Saddam in de WTC-aanslagen van twee jaar tevoren.

Ook de zoektocht naar Saddam zelf leidde vooralsnog niet tot succes. Wel was medio september het grootste deel van het 'kaartspel', Amerika's lijst van 55 verdachten uit het verdreven regime, in de kraag gegrepen of gedood; dit laatste lot trof bijvoorbeeld de beide zonen van Saddam. Af en toe doken er bandjes op met Saddams stemgeluid. Vooral in de 'soennitische driehoek', het centraal-Iraaks gebied waarin onder meer Tikrit lag, pepten die geluiden de talrijke Saddam-aanhangers op. Zij gedroegen zich steeds minder gedwee.

De Amerikaanse militairen bleken bijzonder slecht voorbereid op hun taak als voorlopige bezettingsmacht. De relaties met de bevolking waren gespannen. Het kwam steeds vaker voor dat soldaten ten prooi vielen aan doelgerichte moordaanslagen. In september was het aantal sinds de oorlog gedode Amerikanen al hoger dan het aantal van zeventig dat tijdens de oorlog gesneuveld was. Ook de Britten in Zuid-Irak stuitten op steeds meer gewapende tegenstand.

De taak van de Amerikanen en Britten werd verzwaard door een reeks aanslagen op oliepijpleidingen en watertoevoerinstallaties. Doordat het niet lukte de grote steden blijvend van zaken als elektriciteit en water te voorzien, stegen de nood en de ontevredenheid. De bezetters bleken ook niet in staat effectief op te treden tegen de duizenden 'Ali Baba's', oftewel de grote en kleine criminelen, die vrij spel leken te hebben. Gevoelens van onveiligheid deden de kwalijke herinneringen aan de Saddam-dictatuur geleidelijk verbleken. Daar stond tegenover dat de Amerikanen harde bewijzen vonden van de schurkachtigheid van het verdreven regime. Zo legden zij massagraven bloot met de lijken van duizenden slachtoffers.

Halverwege augustus verslechterde de situatie dramatisch. Eerst was er een schokkende zelfmoordaanslag op het hoofdkwartier van de Verenigde Naties in Bagdad met een bomvrachtwagen, waarbij tientallen mensen het leven verloren onder wie de hoogste vn-gezant. Korte tijd later doodde een gigantische bom in de heilige stad Najaf meer dan honderd moskeebezoekers, onder wie de sjiitische geestelijke leider, Mohammed Bakir Al-Hakim. Na 23 jaar ballingschap was hij pas enkele maanden terug in Irak en hij had zich bereid verklaard tot voorwaardelijke samenwerking met de Amerikanen.

Eind augustus volgde de benoeming van 25 ministers in het eerste naoorlogse kabinet van Irak. Voorlopig behield Bremer de hoogste autoriteit. Democratische verkiezingen zouden op zijn vroegst in 2004 plaatsvinden. De nieuw gevormde ministersposten waren volgens dezelfde etnische verhoudingen verdeeld als die in de regeringsraad, een voorlopig parlement: dertien sjiieten, vijf soennieten, vijf Koerden, een christelijke en een Turkmeense minister. Onder de permanente lidstaten van de

Veiligheidsraad heerste onenigheid over de termijn waarop de macht geheel aan de Irakezen moest worden overgedragen. Frankrijk wilde die termijn zo kort mogelijk houden, Amerika achtte dit onverantwoord. Amerika vond een aantal landen, waaronder Nederland, bereid een deel van de bewakingstaken over te nemen.

Vooralsnog waren de vooruitzichten op een vrij en democratisch Irak somber. In de strijd tegen het terrorisme hadden de Amerikanen een land gecreëerd dat onmachtig was om de grenzen te bewaken of te voorzien in elementaire behoeften van burgers, en met een schrijnend gebrek aan politieke en economische mogelijkheden voor tallozen. Met andere woorden, ze schiepen precies datgene wat ze hadden willen uitroeien: een nieuwe broedplaats voor terroristen.

Botsende beschavingen?

Sinds 11 september 2001 zijn velen het boek van Samuel Huntington uit 1997, The clash of civilizations (Botsende beschavingen) gaan herlezen. Hoewel Huntington niet alleen over het Midden-Oosten schreef, viel alle aandacht op zijn voorspelling dat het Westen en de islamwereld steeds verder uit elkaar zouden drijven. Hij wees op de enorme groei van islamitische fundamentalistische bewegingen en organisaties. In toenemende mate keerde men zich in het Midden-Oosten af van westerse normen en waarden. Talloze fundamentalistische moslims (van Marokko tot in China) hadden Saddam Hoessein in de Golfoorlog van 1991 toegejuicht en deden dat in 2003 weer. Zij zagen in de Amerikaanse oorlogscoalitie 'een verbond van kruisvaarders en zionisten'. Huntington voorzag een wereldwijd conflict tussen het Westen en de islam, dat de eenentwintigste eeuw wel eens zou kunnen gaan beheersen.

Voor veel waarnemers waren de aanslagen van 11 september 2001 een bevestiging van Huntingtons waarschuwingen: de terreurdaad van Bin Laden zou de eerste oorlogshandeling vormen in de nieuwe wereldoorlog. De Amerikaanse aanval op Irak zou de kloof tussen het Westen en de wereld van de islam alleen maar kunnen verdiepen.

Treedt dit doemscenario in werking, dan kan de eenentwintigste eeuw wel eens een reprise te zien geven – zij het in aangepaste vorm – van het al bijna vijftien eeuwen oude antagonisme tussen jihad en kruistocht.

Chronologie

vanaf 3500 v.Chr.	Sumerische beschaving
3100-525 v.Chr.	Egyptische beschaving
± 1700 v.Chr.	Oud-Babylonische rijk
± 1200 v.Chr.	Mozes
± 1000 v.Chr.	bloeitijd joodse beschaving
± 900 v.Chr.	bloeitijd Fenicische beschaving
721-612 v.Chr.	Assyrische rijk
612-539 v.Chr.	Nieuw-Babylonische rijk
539-331 v.Chr.	Perzische rijk
334-323 v.Chr.	tocht Alexander de Grote
323-130 v.Chr.	Diadochenrijken
130 v.Chr.-395 n.Chr.	Romeinen in Midden-Oosten
247 v.C-224 n.Chr.	rijk der Parthen
± 30 n.Chr.	Christus gekruisigd
70 n.Chr.	verwoesting tempel Jeruzalem, begin joodse diaspora
313	geloofsvrijheid voor christenen
224-651	rijk der Sassaniden
395-1453	Byzantijnse rijk
570-632	Mohammed
632-732	Arabische veroveringen
750-1250	bloei Arabische beschaving
1099-1291	kruisvaardersstaatjes
1299-1922	Ottomaanse Rijk
1798	Napoleons invasie in Egypte
1882	eerste joodse immigratiegolf naar Palestina
1897	Herzl houdt eerste zionistische wereldcongres
1916	Hoessein-MacMahon-overeenkomst
1916	Sykes-Picot-overeenkomst
1917	Balfourverklaring
1920	conferentie van San Remo, 'rampjaar'
1922-1948	Brits mandaat over Palestina
1923	Verdrag van Lausanne
1932	stichting koninkrijk Saoedi-Arabië
1936-1939	burgeroorlog tussen joden en Arabieren in Palestina

1939	Witboek Palestina
1933-1945	jodenvervolging Derde Rijk (holocaust)
1947	VN-verdelingsplan voor Palestina
1948	stichting staat Israël; eerste Israëlisch-Arabische oorlog
1956	Suezcrisis (tweede Israëlisch-Arabische oorlog)
1967	Zesdaagse oorlog tussen Israël en buurlanden (derde oorlog); verovering Westoever, Sinaï en Golan
1969	Arafat leider PLO
1973	Oktoberoorlog (vierde oorlog)
1975-1982	burgeroorlog in Libanon
1977	Likoed in Israël; Sadat bezoekt Jeruzalem
1978	Camp David-akkoorden tussen Israël en Egypte
1978-1979	Islamitische Revolutie in Iran
1981	moord op Sadat
1982	Israël doet invasie in Zuid-Libanon
1987	begin eerste intifada
1980-1988	oorlog tussen Irak en Iran
1991	Golfoorlog tussen Irak en bondgenootschap onder leiding van VS
1993	Oslo-akkoorden; handdruk Rabin-Arafat
1994	vrede tussen Israël en Jordanië
1995	moord op Rabin
2000	mislukte onderhandelingen in Camp David; begin tweede intifada
2001	11-september-aanslagen; Taliban verdreven uit Afghanistan
2002-2003	crisis om Irak
2003	oorlog in Irak

Verder lezen

Aarts, Paul en Jan Keulen (red.), Islam, de woede en het Westen, Amsterdam 2001.

Abicht, Ludo, Eén maat en één gewicht. Een kritisch essay over Israël-Palestina, Kapellen/Kampen 2002.

Armstrong, Karen, Jeruzalem. Een geschiedenis van de Heilige stad, Amsterdam 1996.

Armstrong, Karen, De strijd om God. Een geschiedenis van het fundamentalisme, Amsterdam 2000.

Barber, Noel, De Sultans, Bussum 1975.

Biegel, L.C., Het Midden-Oosten, haard van spanningen en conflicten, 1967.

Biegel, L.C., Minderheden in het Midden-Oosten. Hun betekenis als politieke factor in de Arabische wereld, Deventer 1972.

Cleveland, William, History of the Middle East, Oxford 2000 (2de druk).

Gabrieli, Francesco, Mohammed en de grote Arabische veroveringen, Amsterdam 1967.

Hoff, Ruud, Het Midden-Oosten. Een politieke geschiedenis, Utrecht 1991.

Hourani, Albert, De geschiedenis van de Arabische volken, z.p. 2000 (4de druk).

Huntington, Samuel, Botsende beschavingen. Cultuur en conflict in de 21ste eeuw, Antwerpen 2001 (4de druk).

Kurpershoek, Marcel, Wie luidt de doodsklok over de Arabieren?, Amsterdam 2002 (2de druk).

Lewin, Lisette, Vorig jaar in Jeruzalem. Israël en de Palestina-pioniers, Amsterdam 1996.

Lewis, Bernard, Het Midden-Oosten. 2000 jaar culturele en politieke geschiedenis, Amsterdam 2002 (4de druk).

Lewis, Bernard, Wat is er misgegaan? De betrekkingen tussen het Westen en het Midden-Oosten, Amsterdam/Antwerpen 2002.

Mazaheri, Aly, Zo leefden de Moslims in de Middeleeuwen, Baarn 1969 (3de druk).

Meulenbelt, Anja, Het beroofde land, Amsterdam 2000.

Meulenbelt, Anja, De tweede intifada, Amsterdam 2001.

Mosley, Leonard, Grof Spel. Strijd om de olie in het Midden-Oosten 1890-1974, Brussel/Den Haag 1974.

Ovendale, Ritchie, The origins of the Arab-Israeli Wars, New York 1984.

Reeve, Simon, De nieuwe jakhalzen. Osama bin Laden, Ramzi Yousef en de toekomst van het terrorisme, Amsterdam 2002.

Risler, Jacques C., *Geschiedenis van de Arabische cultuur*, Utrecht/Antwerpen 1966.

Rosenberg, Göran, *Het verloren land. Een geschiedenis van Israël*, Utrecht/Antwerpen 2000.

Stewart, Desmond, *De Islam*, Amsterdam 1967.

Timerman, Jacobo, *The Longest War. Israel in Lebanon*, New York 1982.

Tripp, Charles, *Irak, een geschiedenis*, Amsterdam/Leuven 2002.

Zürcher, E.J., *Een geschiedenis van het moderne Turkije*, Nijmegen 1995.

Illustratieverantwoording

p. 10 De Vruchtbare Halve Maan, uit: Roorda, dr. D.J. en dr. H.W. Pleket, *Speurtocht door de eeuwen*, Groningen 1970 (2de druk), p. 24-25.

p. 32 De landen van de islam begin negende eeuw, uit: Cleveland, William L., *A History of the Modern Middle East*, Colorado-Oxford, 2000 (2de druk), p. 23.

p. 50 Het Ottomaanse Rijk eind zeventiende eeuw, uit: Cleveland, William L., *A History of the Modern Middle East*, Colorado-Oxford, 2000 (2de druk), p. 45.

p. 70 Het Midden-Oosten na de Eerste Wereldoorlog, uit: Cleveland, William L., *A History of the Modern Middle East*, Colorado-Oxford (2de druk), p. 164.

p. 97 Arabisch-Israëlische bestandslijnen, 1949, uit: Cleveland, William L., *A History of the Modern Middle East*, Colorado-Oxford (2de druk), p. 262.

p. 105 Israël en de bezette gebieden na de Zesdaagse Oorlog in 1967, uit: Cleveland, William L., *A History of the Modern Middle East*, Colorado-Oxford (2de druk), p. 330.

Register

Aarts, Paul 8
Abbas, Mahmoud 133-134
Abbas de Grote 51
Abbasiden 39, 40, 46, 53
Abdoellah, zoon van sjarief Hoessein 78-80, 95, 99
Abdoellah II van Jordanië 133
Abdul Hamid II 65-67, 75
Aboe Bakr 37
Aboe Simbel 13
Aboe Talib 31
Abraham 16, 38
Afghanistan, oorlog in 120-121
Akkadiërs 14
Al-Aqsa-moskee 38, 99, 129
Alawieten 81
Al-Azhar-moskee 40
Alexander de Grote 19-20
Al-Hakim, Mohammed Bakir 140
Ali 37
aliyah, eerste (1882) 76
Al-Koeds 39
Al-Mansoer 39
Al-Qaida 130-132, 135
Antiochus 24
Arabische Liga 94, 108, 114-115
arabisme 63, 67-68, 71-72
Arafat, Jasser 108-109, 111-112, 115, 120, 127-129, 131-132
Arbeidspartij 112, 127-129
Arbela, slag bij 28
Aristoteles 43
Armeniërs, bloedbad van 1915 71
Arsaciden 27
Artemistempel 22
asjkenazim 98-99, 112, 133
Assad, Hafez al- 103, 107, 115
Assoeandam 101-102
Assurbanipal 15
Assyriërs 13-15, 17-18

Attaliden 20
Attalos III 22
Attila de Hun 85
Avicenna, zie Ibn Sina
Aya Sofia 29, 49, 84

Baath 103, 104, 107, 121-123, 139
Babyloniërs 13-15, 17
Bagdadpact 100, 104
Bakr, Hasan al- 104, 121-122
Balfour, Arthur James 74
Balfourverklaring 74, 76-77, 88
Bandoeng, conferentie van 100
Bar Kochba 24
Barak, Ehud 128-129
Begin, Menachim 90, 94, 112, 115, 119
Ben Goerion, David 89, 92, 94, 96, 100
Bin Laden, Osama 121, 130-132, 137, 141
Blair, Tony 131, 136
Blix, Hans 136
Bremer, Paul 139-140
Bush sr., George 125-126, 136
Bush jr., George 130-132, 135-136, 137, 139
Byzantijnse Rijk 28-30, 36

Cambyses 19
Camp David-akkoorden 1978 113-114, 123
capitulatiën 58, 69, 78
Carter, Howard 13
Carter, Jimmy 113
Chadidja 33
Champollion, Jean-François 12
Chosroës II 28
christenvervolgingen 26
Christus 24-25, 33
Churchill, Winston 92
Clemenceau, Georges 77
Cleopatra 22
Clinton, Bill 127-128
Constantijn 26

Constantijn XI 49
Cyrus 17-18, 28

Darius I 19
Darius III 19-20
David 16-17
Deir Yassin, bloedbad van 94
Desert Fox, operatie 127
Desert Storm, operatie 126
devshirme-systeem 54
dhimmi's 41
diadochenrijken 20
diaspora, joodse 23-24, 74-75, 133
Diocletianus 26
Disraeli, Benjamin 64
divaans 40, 53
Djengis Khan 45
dragomans 56
Dreyfus, Alfred 75
Druzen 81

Echnaton 13
Eden, Anthony 101-102, 125
Edessa, slag bij 28
Edict van Milaan 26
Egyptische beschaving 11-13
Eichmann, Adolf 98
Eisenhowerdoctrine 102
El-Alamein 91
El-Fatah 108-109, 114
Elia 17
Erbakan, Necettin 118
Erdogan, Tayyip 118
Esjkol, Levi 106
Exodus, het boek 93

falangisten 115
farao's 7, 11-12
farizeeërs 24
Faroek 99
Fatima 33, 37
Fatimiden 40, 45
Feisal, zoon van sjarief Hoessein 73, 77-80
Feniciërs 7, 15, 17-19
Filistijnen 16

Galenus 23, 42
Gallipoli, slag om 72

Garner, Jay 139
Gaulle, Charles de 92
Gilgamesj-epos 14
Gizeh, piramides van 12
Glubb, John 80
Goesj Emoniem 112
Gökalp, Ziya 66
Golfoorlog (1990-1991) 124-127, 130
Gorbatsjov, Michael 121
Grotefend, Georg 18

Habasj, George 108
hadj 34
Haganah 89-90, 92, 94, 96
Hagia Sofia, zie Aya Sofia
Halabja, gifgasaanval op 124
Hamas 120, 128
Hammoerabi 14
haremsysteem 59, 85
Haroen al-Rashied 39
hasjemieten 72, 80, 95, 103
hellenistische beschaving 7, 19-21, 27
Heraclius 28-29
Herodes de Grote 24
Herzl, Theodor 75-76, 94
Hezbollah 116-128
hiërogliefen 12
Histadroet 89, 96
Hitler, Adolf 90, 92, 101, 125
Hoessein, koning van Jordanië 99, 104, 109
Hoessein Ibn Ali, sjarief 72-74, 78-77, 82
Hoesseini, Amin el-, moefti 90-91
holocaust 91-92, 98, 126
Huis der Wijsheid 43
Huntington, Samuel 141

Ibn Battoeta 44
Ibn Saoed, Abd el-Aziz 82-83, 104
Ibn Sina 44
intifada, eerste 119-120
intifada, tweede 129, 132
Irak-Iranoorlog 123-124
Iraqi Freedom, operatie 137
Irgoen 90, 92, 94, 112, 119
Isaac 38
islam 30-35, 49, 86, 117-119, 121, 128-129, 131, 141

Ismail, khedive van Egypte 63-64
Israël en Juda, het oude 15-17

Jabotinski, Wladimir 90
Jamal Pasha (de Bloedvergieter) 71
janitsaren 49, 54, 59-60
Jarmoek, slag bij 36
Jassin, sjeik 134
Jeremia 17
Jesaja 17
Jezus Christus, zie Christus
jihad 34-35, 49, 65, 71-72, 121, 124, 130,
    142
Johannes, evangelie van 25
Jom Kippoeroorlog, zie Oktoberoorlog
Jong-Ottomanen 61
Jong-Turken 66, 69, 72, 84
Joods Agentschap 89-90, 96
Justinianus 29

ka'ba 31, 34
kafirs 40
kalief 34, 37-40, 52-53, 65, 71, 84
Kanaänieten 16
Karel Martel 36
Karlowitz, verdrag van 57
Karnak 13
Kemal Pasja Atatürk, Mustafa 84-87, 118
Khadaffi, Moammar 107, 114
Khartoum, conferentie van 107
Khomeiny, Ruhollah 117, 124
kibboetzim 88-89
Kissinger, Henry 113
Knesset 96
Koepel van de Rots 38, 55
kolonisten, joodse 89-90, 112-114, 127-128
koptische kerk 41
koran 33-35, 38, 41, 82, 84, 123
kruistochten 45, 47, 49, 130, 141-142
Kut, slag bij 72
Kütsjük Kainardji, verdrag van 57

Lausanne, Verdrag van 84
Lawrence, T.E. (Lawrence of Arabia) 72-73,
    77
Layard, sir Austen 7
Lesseps, Ferdinand de 63
Libanese burgeroorlog 114-116

Likoed 112, 119, 127-129
Lucas, evangelie van 25
Luxor 13
Lydië 19

madrasa's 54
mahdi 38
Mahmud II 60
Maimonides 42
Makkabaeërs 24
Mamelukken 46, 52
Mamoen 43
mandaatgebieden 78, 80-81, 88-89, 93, 96
Mapai 89, 96, 112
Marcus, evangelie van 25
Maronieten 81
Mattheüs, evangelie van 25
McMahon, sir Henry 72-73
Meden 18
Mehmed II 49
Mehmed V 66, 71
Meir, Golda 109, 112
Menes 12
Messias 24-25
milletsysteem 56
minaret 34, 49
Mithridates 22
Moe'awijja 37
Moebarak, Hosni 114, 118-119
moejaheddien 121
Moerad II 48-49
Mohacs, slag bij 49
Mohammed 31-35, 37-38, 41, 72, 123
Mohammed Ali 60-61, 63, 79, 99
Mongolen 45-46
Montgomery, Bernard 91
Moslim Broederschap 79-80, 118-120
Mossad 99
Mossadeq, Mohammed 116
Mouseion 21
Mozes 16, 33, 75
Mussolini, Benito 80

Napoleon Bonaparte 59
Nasser, Gamal Abdel 99-100, 106-107, 110,
    114, 118, 125
Nebukadnezar II 16
Nehroe, Jawaharlal 100

Nero 25
Netanyahu, Benjamin 128
Nieuw-Perzische Rijk, zie Sassaniden

Oemar 37
Oethman 34, 37
Oktoberoorlog 110-111
oliecrisis 110-111, 122
Omayyaden 37-40, 78
Omayyadenmoskee 38
Orhon 48
Oslo-akkoorden 127
Osman (of Oethman) 48, 53, 84

Pahlavi, Mohammed Reza 116, 122
Pahlavi, Reza 87
Palestijns vluchtelingenvraagstuk 95, 98,
    106-108
Palestinian Liberation Organization (PLO)
    108-109, 114-115, 120, 127, 129
papierfabricage 43
Parthen 26-27
Paulus 25
Peel-commissie 90
Peres, Shimon 127-128
Perzische Rijk 7, 16-19
Petrus 25-26
Pharos 21
Philippus van Macedonië 19
Picot, Georges 74
Pinsker, Leo 75
Plato 43
Plutarchus 20
pogroms 74
Poitiers, slag bij 36
Pompeius 22, 24
Pontius Pilatus 24
Powell, Colin 136, 139
Ptolemaeërs 20-21
Ptolemaeus (geleerde) 23, 43
Ptolemaeus (generaal) 20

Qaddisya, slag bij 36
Qurey, Ahmed, 134

Rabin, Yitzjak 112, 127-129
Rahman, Abd el- 7
ramadan 34, 82

Ramses II 12
Rawlison, Henry 14
Razi 44
reconquista 45
Romeinen 7, 17-18, 22
Roosevelt, F.D. 83
Rosette, steen van 12
Roth, Philip 132
Rothschild, bankiersfamilie 76
Routekaart naar vrede 133-134
Roxane 20
Rumsfeld, Donald 139
Rushdie, Salman 117

Sadat, Anwar 110, 113-114
Saddam Hoessein 7, 104, 121-127, 132, 135-
    141
Sadduceeërs 24
Safaviden 50-51
salaat 34
Saladin 40, 42, 45
Salomon 16-17, 23, 29, 75
Samuel, Herbert 88
San Remo, conferentie van 78
Sanders, Liman von 71
Sapor I 28
Sargon II 15
Sassaniden 27-28, 36
Saul 16
Savak 116
sefardim 56, 98, 112
Seldjoeken 45, 48
Seleuciden 20, 22, 26
Seleucos 20
Selim III 60
Semieten 14, 16
Septimius Severus 27
Sèvres, Verdrag van 78, 120
Shamir, Yitzjak 90, 119, 120
sharia 35, 53-54, 63, 90, 82, 85, 87, 117,
    131
Sharon, Ariël 107, 110, 113, 115, 129,
    131-132
sipahi's 54
sjahada 34
sjiieten 37, 51, 80-81, 116-117, 123, 126, 128
Soekarno 100
soenna 34

soennieten 37, 51, 80-81, 122
spijkerschrift 14
Suezcrisis 101-102, 109
Suezkanaal 7, 9, 63-64, 71, 76, 79-80, 99,
    101-102, 106-107, 110, 113
Suleiman de Grote (de Prachtlievende) 49,
    55
sultan 48-49, 51-54, 56, 59-60, 63, 65-66,
    72-73
Sumeriërs 14
Sykes, Mark 74

Takiyya-moskee 55
Talaat 71
Talibanbeweging 121, 130-131, 135
Tanzimat 61-62
Tarik 36
Tenach 16, 24
Theodosius de Grote 26
Tien Geboden 17
Timoer Lenk 36
Tito, Josip 100
Titus 24
Toetanchamon 13
Topkapi-paleis 59
Tours, slag bij 36
Trajanus 24, 27
turkificatie 66, 84

Urbanus II 45
ulema 40, 54, 60, 87

Valerianus 28
Verenigde Arabische Republiek 102-103,
    106
vizier 40
Vrede-Nu-beweging 115

Wafd 79
wahabieten 60, 82
Wannsee-conferentie 92
war on terrorism 130-132
Weizmann, Chaim 76-77
Wiedergutmachung 98
Wilhelm II 65
Wilson, Woodrow 78
Witboek 91-93
Witte Revolutie 116

Zaghlul, Saad 79
zakaat 34
Zarathoestra 19, 17-28
Zesdaagse Oorlog 104-108, 110
ziggoerats 14
zionisme 74-76, 89-94, 99, 108, 111-112,
    141
Zwarte September 109

Eerder zijn in deze reeks verschenen:

De Nederlandse geschiedenis in een notendop
Herman Beliën & Monique van Hoogstraten
€ 7,95 / 132 pagina's

De 20ste eeuw in een notendop
Hans Ulrich
€ 7,95 / 160 pagina's

Nederlandse literatuur in een notendop
Annette Portegies & Ron Rijghard
€ 7,95 / 132 pagina's

De Griekse mythologie in een notendop
Hein van Dolen
€ 7,95 / 160 pagina's

Religie in een notendop
Jan Hondebrink
€ 7,95 / 128 pagina's

De klassieke oudheid in een notendop
Herman Beliën & Fik Meijer
€ 7,95 / 148 pagina's

De wereldgeschiedenis in een notendop
Jan van Oudheusden
€ 7,95 / 180 pagina's

Economie in een notendop
Arnold Heertje
€ 9,95 / 224 pagina's

De Amerikaanse geschiedenis in een notendop
Jan van Oudheusden
€ 7,95 / 164 pagina's

De Nederlandse kunstgeschiedenis in een notendop
Vera Illés
€ 7,95 / 132 pagina's

Marketing in een notendop
Arnold Heertje
€ 7,95 / 148 pagina's

De kosmos in een notendop
Govert Schilling
€ 7,95 / 109 pagina's

Opera in een notendop
Willem Bruls
€ 7,95 / 145 pagina's

De islam in een notendop
Dick Douwes
€ 7,95 / 148 pagina's

F
MINDER EX.